Recipes from Perigord

Les recettes de ma grand-mère

Marielle Taylor-Vialard

Recipes from Perigord

Les recettes de ma grand-mère

B

Christine
Bonneton

To my father born in the family house in Sarlat
who did so much to transmit his love of the Dordogne
to his children and to everybody else

Foreword

I am descended from a very long line of Perigordian people. I, therefore, have cooking in my blood. Or rather, I have watched my grand-mother, my mother, my aunts and other family cook in their kitchen since I was born. I have learnt their secrets and their tour-de-main directly from them and have passed these ways down to my sons and nieces, and soon, I hope, to my grand-daughter. As I am married to an Englishman, I thought that his countrymen and women who like our wonderful Dordogne so much, might be interested in knowing and practicing our gastronomy in their own language.

So, in this cook book, you will find most of my family recipes. I have translated and adapted them a little to be feasible outside their country of origin. I have omitted those which need the kind of ingredients impossible to find to-day in a modern market, for instance hare blood, or so rare that they are extremely expensive like truffles.

This is not a book for beginners, I don't give details about the operating method for making a pastry for instance. I assume you already know the basics of cooking.

As for quantities, in France, of course, we use grams, kilos and litres, but, in our recipes, we also use a lot of approximate measures like a handful, a spoonful, a glass or a few. As much as possible I have adapted these quantities to English measures.

In this world of speed and TV dinners, I hope you will enjoy taking the time to prepare these traditional healthy dishes and to share them with family and friends as we love doing here in Dordogne.

Basically, our cuisine is simple, and hearty, not for dieting models. It is not (too) fattening though, as you may notice when you come over : people are not fat, just healthy (French paradox). It is made with ingredients which were common on farms. Most of the ingredients should be easy to find anywhere in the world. Except perhaps for the basis of our cooking : goose fat. So, before you leave our beloved region, buy a couple of tins of goose or duck fat (it keeps well) and maybe a bottle of walnut oil, some foie gras and a few truffles. Then, it will be up to you to let your test buds remember your visit here.

My publisher and I have decided to put the recipes in French on the right hand side page, so, if you live in France or stay here for a while you will know the French version of the ingredients, the quantities, meats cuts you should buy and work with.

Recipes proportions are for 6 people, unless mentioned otherwise.

Our cooking secrets

Fricassée

1 cuil. à soupe
de graisse d'oie, 1 cuil.
à soupe de farine,
quelques tranches
de légumes

La fricassée est la base des soupes en Périgord.

Faites rissoler quelques tranches de légumes cuits ou crus dans de la graisse doie. Saupoudrez la farine, faites-la dorer, ajoutez une cuillerée de bouillon et remettez le tout dans la marmite.

La fricassée donne un goût délicieux à la soupe. C'est sans doute ce qui donne une si bonne réputation aux soupes périgourdines. Il est important de choisir les bons légumes. Il ne faut pas choisir les farineux, les pommes de terre, les légumes secs ou trop tendres (pois, fèves). Les meilleurs sont des tranches de raves, de navets, de carottes, d'oignons, ou de citrouille ou des petits morceaux de poireaux ou d'oseille.

Hachis

2 gousses d'ail, du
persil, 100 g lard frais

Le hachis donne bon goût à toutes sortes de choses : soupes, haricots blancs, ragoûts.

Hachez finement tous les ingrédients.

Autrefois on utilisait un hachoir. Aujourd'hui, on peut oser le robot.

Farci

2 gousses d'ail, du persil,
1 échalote, 100 g lard
frais, le foie d'une
volaille, quelques
morceaux de jambon
de pays, 2 tranches de
pain de campagne,
1 verre de lait ou de
bouillon, 1 œuf

Trempez la mie du pain dans le lait ou le bouillon.

Hachez tous les ingrédients . Ajoutez l'œuf. Mélangez bien. Poivrez et salez modérément car le jambon est salé.**Fricassee**

Fricassee

tblsp goose fat,
tblsp flour, a few
iced vegetables

It is the basis of Perigordian soup. A few slices raw or cooked vegetable, are sautéed in a spoonful of goose fat, sprinkled with a spoonful of flour cooked until golden, wetted with a little stock. An hour before the soup is ready, add the vegetable mixture. The fricassee gives a very pleasant taste to the soup. This is probably the reason why Perigordian soups have such a good reputation.

It is essential to chose the right vegetables for each kind of soup. Many won't do. Particularly floury vegetables like potatoes, beans or peas. Most appropriate are slices of turnips, parsnips, carrots, onions, leaks, sorrel or pumpkin.

Hachis

cloves garlic, a few
prigs of parsley,
slices cured dry
acon

Hachis flavours everything from soups to white beans to any kind of stew. Chop all ingredients together as finely as possible. In the old days, it was done with a chopper. Nowdays, it is ok to use your blender.

Stuffing

cloves garlic, a few
prigs of parsley,
shallot, 3 slices cu-
ed dry bacon, the bird
iver, a few left over
its of cured ham,
slices country bread
rumbs, 1 glass milk
r stock, 1 egg

Wet the bread with the milk or stock.

Chop all the ingredients. Add the egg and blend it all together. Add pepper, but be light on salt as the ham is already salted.

Farci is stuffed inside poultry or fish before cooking.

Bouquet garni

quelques brins de persil, 1 brin de thym, 1 feuille de laurier

Attachez toutes les herbes avec du fil de cuisine.

Le bouquet garni parfume toutes sortes de sauces et de plats variés.

Il faut l'enlever avant de servir le plat.

Sauce tomate

6 tomates bien mûres, 1 oignon, 1 cuil. à soupe de graisse d'oie, 1 gousse d'ail, 1 bouquet garni

Pelez et enlevez les graines des tomates en les pressant un peu.

Coupez les en 8 morceaux. Pelez et hachez l'oignon et l'ail.

Dans une casserole, faites fondre la graisse. Faites revenir tomates, ail et oignon à feu vif. Ajoutez sel, poivre et bouquet garni.

Couvrez et faites cuire à feu doux pendant 30 minutes.

Normalement le jus rendu par les tomates est suffisant pour empêcher la sauce de brûler. Mais en fonction de la qualité des tomates, il peut être nécessaire d'ajouter un peu d'eau chaude ou de bouillon si vous en avez.

Marinade

1 bouteille de bon vin rouge (St-Emilion, Bergerac, Cahors), 1 verre de vinaigre de vin, 2 cuil. à soupe d'huile, 2 carottes, 1 oignon, 4 échalotes, 2 gousses d'ail, quelques grains de poivre, quelques grains de genièvre, persil, 1 branche de thym, 1 branche de lavande, 1 branche de romarin, 1 feuille de laurier

Coupez oignon, échalotes et carottes en tranches.

Mettez le tout dans un grand saladier ainsi que la viande.

Versez le vin. retournez et arrosez la viande plusieurs fois par jour.

Gardez dans un endroit frais pendant 36 à 48 heures.

Pour les viandes braisées (gibier, lapin, bœuf).

Herbs bouquet

few sprigs parsley, sprig thyme, 1 bay af

Tie all the ingredients together with a solid piece of string.

The bouquet garni will give flavour to all sorts of sauces and dishes. It should be discarded before serving.

Tomato sauce

ripe tomatoes, onion, 1 tblsp goose at, 1 bouquet garni, clove garlic

Peel, seed and cut the tomatoes into 8 pieces. Peel and chop the onion and the garlic. Warm the fat in a pan. Brown the onion and tomatoes on high heat. Add salt, pepper and the bouquet garni.

Lower the heat, cover and cook for at least 30 minutes.

Normally, the juice from the tomatoes should be enough to avoid burning, but, depending on the quality of the tomatoes, you might need to add a little warm water or stock if you have some.

Marinade

bottle of good red vine (St-Emilion, ergerac, Cahors), glass wine vinegar, tblsp oil, 2 carrots, onion, 4 shallots, cloves garlic, a few rains pepper, a few uniper berries, cloves, sprigs parsley, sprig thyme, 1 sprig avander, 1 sprig osemary, 1 bay leaf

Slice onion, shallots and carrots. Place everything in a big bowl with the meat. Pour on the wine. Turn and baste the meat several times per day. Keep in a cool place for 36 to 48 hours.

For braised meats (beef, rabbit, game).

Sauce Périgueux

3 échalotes, 1 oignon, 1 cuil. à soupe de graisse d'oie, 1 cuil. à soupe de farine, 1 verre de vin blanc sec, quelques truffes

Hachez les échalotes. Faites les blondir dans la moitié de la graisse. Versez le vin et flambez. Coupez l'oignon en tranches fines. Faites les revenir dans le reste de la graisse. Saupoudrez de farine. Mélangez et laissez dorer. Mouillez avec un peu d'eau ou de bouillon.

Versez ce roux dans la sauce au vin, salez, poivrez et laissez mijoter sur feu doux pendant une heure. Tournez de temps en temps. Passez la sauce. Nettoyez et pelez les truffes. Hachez la peau et ajoutez-la à la sauce.

Juste avant de servir, coupez les truffes en rondelles et ajoutez-les à la sauce qui ne doit cuire que quelques minutes.

Sauce aux oignons

. 1 gros oignon ou plusieurs petits
. 1 cuil. à soupe de graisse d'oie
. 1 cuil. à soupe de farine
. 125 g de lard ou de jambon cru
. 1 bouquet garni

Coupez les oignions en tranches minces. Hachez la viande.

Faites revenir le tout dans la graisse chaude. Quand le mélange est doré, saupoudrez la farine, mélangez et mouillez avec un peu d'eau ou de bouillon. Ajoutez le bouquet garni, salez, poivrez et laissez mijoter à feu doux pendant 30 minutes.

Cette sauce est délicieuse avec de la viande ou des œufs.

Vous pouvez aussi mettre du vin blanc avec l'eau et des échalotes hachées, et ajouter des câpres ou des cornichons en tranches.

Truffle sauce

shallots, 1 onion, tblsp goose fat, tblsp flour, 1 glass dry white wine, or more fresh truffles (depending how rich you are)

Chop the shallots. Fry them in half the fat until golden. Pour in the wine and flambé the shallots. Slice the onion. In a pan, warm the rest of the fat. Fry the onion slices for 10 minutes. Coat them in flour and stir over moderate heat until the flour turns a golden nut brown colour. Add a little water. You now have a "roux".

Blend in the white wine sauce, add salt and pepper, cover and simmer on low heat for about an hour. Check and stir from time to time. Sieve the sauce. Clean and peel the truffles. Slice them. Chop and add the shavings to the sauce. When you are ready to eat, add the sliced truffles. They should only cook for a few minutes.

This is our most famous sauce. It is now a bit of a luxury, as it needs truffles. It is good with everything, in particular with roasts.

Onion sauce

1 big onion or a few small, spring onions 1 tblsp goose fat 125 g cured dry bacon or cured ham 1 tblsp flour 1 bouquet garni

Slice the onion thinly. Chop the meat. Warm the fat in a frying pan, add onions and meat. When the onions are golden, coat them in flour, add a little water or stock. Add the bouquet, salt and pepper. Simmer on low heat for 30 minutes.

Remove the bouquet garni and serve with meat or eggs.

You can also add a glass of white wine to the water along with a few chopped shallots. When cooked, add a few capers or 2 to 3 sliced gherkins. Good with left over meat or fried eggs.

Soupes, entrées et salades

Soupe aux tomates et aux haricots

- 2,5 l d'eau
- 1 kg de haricots blancs frais
- 250 g de haricots mange-tout
- 4 tomates bien mûres
- 1 cuil. à soupe de graisse d'oie
- bouquet garni
- 1 oignon
- 2 gousses d'ail
- 100 g de lard
- sel, poivre

Faites bouillir l'eau. Écossez les haricots. Mettez-les dans l'eau bouillante ainsi que les mange-tout. Ajoutez le bouquet garni, sel, poivre. Faites cuire jusqu'à ce que les haricots soient bien écrasés.

Préparez le hachis avec le lard, l'ail, le persil. Ajoutez-le aux haricots à mi-cuisson.

Pelez et épépinez les tomates. Coupez-les en 4 morceaux. Pelez et coupez l'oignon en tranches fines.

Faites fondre la graisse dans une poêle. Faites-y dorer tomates et oignon. Ajoutez au bouillon de haricots. Faire cuire 30 minutes à feu doux.

10 minutes avant de servir, écrasez les tomates avec une écumoire. La soupe se mange épaisse.

Vous pouvez faire chabrol : quand il ne reste plus que quelques cuillerées de liquide, versez 1/3 de verre de vin dans l'assiette et buvez à même l'assiette.

Tomato and fresh white bean soup

2,5 litres water
1 kg fresh white
beans in their pods
250 g mange-tout
(large green beans)
1 slice dry cured
bacon
1 bouquet garni
(laurel, thyme,
parsley)
2 cloves garlic
a few sprigs parsley
4 ripe tomatoes
1 onion
1 tblsp goose fat
salt, pepper

Pod the beans. Boil the water. Add both kinds of beans to the water. Add salt, pepper and the bouquet garni.

Prepare the hachis: chopped bacon, garlic and parsley. Add to the beans when half-cooked. Peel, seed and cut the tomatoes into 4 pieces. Peel and slice the onion thinly. Warm the fat in a frying pan. Sautee tomatoes and onion until golden (fricassée). Add to the beans. Cook for another 1/2 hour. 10 minutes before serving, crush the tomatoes through a sieve. The soup should be rather thick.

After eating a good solid soup, you must « faire chabrol ». Let me explain : Soups are served in deep plates (called « assiette calotte »). When only a few spoonfuls of liquid are left at the bottom of the plate, you pour into it 1/3 of a glass of red wine. You mix the wine with the bouillon and drink the warm nectar directly from the plate. I do not know of anything more effective than this to warm you up on a cold winter evening.

Tourain à la tomate

- 1,5 l d'eau
- 2 oignons
- 1 cuil. à soupe de graisse d'oie
- 1 cuil. à soupe de farine
- 1 gousse d'ail
- 500 g de tomates
- 1 jaune d'œuf
- 6 tranches fines de pain de campagne rassis
- sel, poivre

Mettez l'eau à bouillir.

Coupez les oignons en tranches minces. Pelez, épépinez et coupez les tomates en petits morceaux.

Dans une poêle, faites sauter les oignons dans la graisse d'oie sans les faire roussir. Ajoutez l'ail écrasé. Saupoudrez de farine. Mélangez bien et laissez prendre couleur.

Mouillez avec une cuillerée d'eau, délayez bien et remettez le tout dans l'eau bouillante. Salez, poivrez et ajoutez les tomates.

Laissez cuire sur feu doux au moins 30 minutes.

Préparez les tranches de pain dans la soupière. Hors du feu, délayez le jaune d'œuf et versez sur le pain.

Onion soup with bread

1,5 litre water
2 onions
1 tblsp goose fat
1 tblsp flour
1 clove garlic
500 g tomatoes,
1 egg yoke
a few thin slices of
ale country bread
alt, pepper

Boil the water.
Peel and thinly slice the onions .
Peel, seed and chop the tomatoes.
Fry the onions with the fat in a pan. Do not brown. Add crushed garlic. Sprinkle with flour and stir. When golden, remove from the heat, pour in a little boiling water, stir with a wooden spoon and add the remaining boiling water. Add salt, pepper, peeled tomatoes. Simmer covered for 30 to 40 minutes. Put the bread slices in the soup tureen. Remove the soup from the heat, blend in the egg yoke and scatter over the bread

This soup is one of the local favourites. It is particularly pleasant as a light dinner on a day when you've had a big lunch.

Tourain au vinaigre

- 1,5 litre d'eau
- 2 oignons
- 1 cuil. à soupe de graisse d'oie
- 1 cuil. à soupe de farine
- 1 gousse d'ail
- 2 œufs
- 6 tranches fines de pain de campagne rassis
- 1 cuil. à café de vinaigre de vin
- sel, poivre

Préparez le tourain comme dans la recette précédente, mais sans les tomates.

Vous pouvez le passer ou non.

Séparez les blancs des jaunes. Quand le tourain est cuit, mettez les blancs d'œuf à cuire pendant 10 minutes.

Sortez-les et coupez-les en petits carrés.

Mélangez vinaigre et jaunes dans un bol. Ajoutez un peu de bouillon, mélangez bien et reversez le tout dans la soupe hors du feu.

Versez la soupe sur les tranches de pain dans la soupière. Parsemez avec les petits morceaux de blancs d'œuf cuits.

———

Onion soup with vinegar

,5 litre water
thinly sliced
ions
tblsp goose fat
tblsp flour
clove garlic
eggs
few thin slices of
le country bread
tsp wine vinegar
alt, pepper

Prepare the soup as above, but without the tomatoes.

When ready you can choose to sieve the mixture or not. Cook the egg whites in the tourain 10 minutes. Once cooked, cut them in little squares. Remove the soup from heat.

Mix the yokes with the vinegar in a bowl. Add a little bouillon, stir well and pour into the pot. Stir and pour over the bread slices in the soup tureen. Top with the egg white squares and serve.

Tourain blanchi

- 1,5 litre d'eau
- 1 cuil. à soupe de graisse d'oie
- 1 cuil. à soupe de farine
- 4 gousses d'ail
- 1 œuf
- 6 tranches fines de pain de campagne rassis
- 1 cuil. à café de vinaigre de vin ou de verjus
- sel, poivre

Pelez et coupez l'ail en tranches fines.

Dans une poêle, faites fondre la graisse et dorez l'ail doucement (ne le laissez pas brunir, il prendrait mauvais goût). Saupoudrez la farine, la blondir légèrement. Mouillez avec une cuillerée d'eau, délayez bien et remettez le tout dans l'eau bouillante. Salez, poivrez. Faites bouillir 10 minutes.

Quand le tourain est cuit, mettez le blanc d'œuf à cuire pendant 10 minutes. Sortez-le et coupez-le en petits carrés.

Mélangez vinaigre et jaune dans un bol. Ajoutez un peu de bouillon, mélangez bien et reversez le tout dans la soupe.

Versez la soupe sur les tranches de pain dans la soupière. Parsemez avec les petits morceaux de blancs d'œuf cuits.

garlic soup

.5 litre water
tblsp goose fat
tblsp flour
cloves garlic
egg
few thin slices of
le country bread
tsp vinegar
better verjus,
en grape juice)
lt, pepper

Peel and slice the garlic into thin slices.
In a pan, fry the garlic into the goose fat until
golden (be careful not to let the garlic burn,
it would be bitter). Sprinkle the flour over
the garlic and stir over moderate heat until
golden.
Pour over the hot water. Add salt and pepper. Boil for 10 minutes.
Separate the egg yolk from the white. Pour in
the egg white into the soup and boil slowly for
10 minutes. Cut the cooked whites into little
squares. Remove from heat.
Mix the yoke with the vinegar in a bowl. Add
a little stock, stir well and pour into the pot.
Stir and pour over the bread slices in the
soup tureen. Top with egg white squares and
serve.
You can add small pasta or vermicelli to the
soup to make it more nourishing.

———

Tourain à l'oseille

- 1,5 l d'eau
- 2 poignées d'oseille
- 1 cuil. à soupe de graisse d'oie
- 1 petite cuil. à soupe de farine
- 1 gousse d'ail
- 1 œuf
- 1/4 l de lait
- 500 g de pommes de terre
- quelques brins de cerfeuil
- 6 tranches fines de pain de campagne rassis
- sel, poivre

Pelez et coupez l'ail en tranches fines.

Dans une poêle, faites fondre la graisse et dorez l'ail doucement.

Lavez et séchez l'oseille. Enlevez les tiges. Hachez grossièrement. Gardez quelques feuilles et mettez le reste dans la poêle avec l'ail sur feu doux. L'oseille se transforme en purée.

Saupoudrez de farine, mélangez, ajoutez le cerfeuil haché et versez le tout dans une casserole. Ajoutez l'eau chaude en tournant.

Pendant ce temps, faites cuire les pommes de terre à l'eau dans une autre casserole. Quand elles sont cuites, écrasez-les à la fourchette et ajoutez à l'oseille, salez et poivrez.

Séparez le blanc du jaune de l'œuf. Mettez le blanc d'œuf à cuire pendant quelques minutes. Sortez-le et coupez-le en petits carrés.

Mélangez le jaune avec le lait chaud dans la soupière. Versez la soupe sur les tranches de pain. Saupoudrez avec l'oseille réservée.

Vous pouvez remplacer l'oseille par du cresson.

sorrel soup

.5 litre water
tblsp goose, duck
pork fat
handfuls of sorrel
ves
small tblsp flour
00 g potatoes
clove garlic
egg
/4 litre milk
few chervil sprigs
lt, pepper

Warm the fat in a frying pan. Cut the garlic into thin slices and fry until golden.

Wash and dry the sorrel leaves. Cut off the stalk. Cut roughly. Reserve a few leaves. Add the sorrel to the garlic and let it wilt on low heat. Sprinkle in the flour, stir a bit, add the chopped chervil and pour the mixture into a saucepan. Add the hot water.

At the same time, in another saucepan, boil the potatoes in salted water. When cooked, purée them with a fork. Add to the sorrel in the pan. Season with salt and pepper.

Separate white and yoke of the egg. Make small egg white squares as per above recipe. Stir the yoke into the soup tureen with the hot milk. Pour over the soup.

Add the chopped chervil and reserved sorrel leaves.

This soup can be made with cress instead of sorrel.

25

soupe à la carcasse d'oie ou de canard

- 2 l d'eau
- 1 carcasse d'oie ou de canard
- 1 chou vert
- 500 g de haricots blancs secs ou 1 kg de frais dans leur gousse
- 3 carottes
- 3 navets
- 3 poireaux
- 3 pommes de terre moyennes
- 1 cuil. à soupe de graisse d'oie
- 1 bouquet garni
- 1 oignon
- 2 clous de girofle
- 6 tranches fines de pain de campagne rassis
- sel, poivre

Coupez grossièrement le chou et faites le blanchir 15 minutes à l'eau bouillante. Egouttez.

Si les haricots sont secs, mettez-les dans l'eau froide avec la carcasse. Amenez tout doucement à ébullition. S'ils sont frais, ne mettez que la carcasse à l'eau froide et amenez à ébullition.

Piquez l'oignon avec les clous de girofle et ajoutez au bouillon ainsi que le bouquet garni et le chou.

Pelez et coupez en petits morceaux les autres légumes. Gardez-en un. Ajoutez-les à la soupe. Salez, poivrez.

Faites sauter le légume choisi 5 minutes dans une poêle avec la graisse d'oie. Ajoutez à la soupe.

Laissez cuire doucement jusqu'à ce que les haricots soient bien cuits (de une à deux heures).

Enlevez la carcasse et le bouquet garni.

Versez la soupe sur les tranches de pain dans la soupière.

soup with goose or duck carcass

litres water
goose or duck
rcass
green cabbage
kg fresh white
ans in their pods
500 g dried beans
carrots
turnips
leaks
potatoes
tblsp goose fat
onion
bouquet garni
cloves
thin slices of stale
untry bread
alt, pepper

Roughly slice the cabbage and blanch it for 15 minutes. Drain. If the beans are dry, put them in the cold water with the carcass and bring slowly to boil. If the beans are fresh, place only the carcass in the cold water. Bring to the boil. Peel and dice carrots, turnips, potatoes and leaks. Stud the onion with the cloves.
Add carrots, turnips, fresh beans, onion, bouquet garni, salt, pepper.
Fricassée the leaks in the fat in a frying pan for 5 minutes. Add to the soup. Simmer for 1 to 2 hours, until the beans are well cooked. Remove the carcass and the bouquet garni, pour in the soup tureen over the bread.

This soup is my father's favourite. I always made it to welcome visitors arriving late to our home in Sarlat after a long train or car journey. Goose and duck carcasses are sold on the Périgord markets. It is what remains of the birds after the back meat and limbs have been cut off to be made into confits or magrets.

27

soupe à la citrouille

- 4 l d'eau
- 750 g de citrouille (potiron dans le Nord)
- 500 g de haricots blancs secs ou 1 kg de frais
- 500 g de mange-tout
- 500 g de tomates mûres
- 3 pommes de terre
- 1 cuil. à soupe de graisse d'oie
- 1 bouquet garni
- 1 oignon
- 2 gousses d'ail
- persil
- 100 g de lard
- 6 tranches fines de pain de campagne rassis
- sel, poivre

Faites bouillir l'eau. Jetez-y les haricots blancs et verts. Si les haricots blancs sont secs, le mettre dans l'eau froide et amenez très lentement à ébullition, puis ajoutez les mange-tout. Faites un hachis avec l'ail, le persil, le lard, et l'oignon. Faites revenir ce hachis dans une poêle avec la graisse d'oie.

Pelez et épépinez les tomates. Coupez-les et ajoutez-les au hachis. Faites revenir le tout 5 minutes.

Découpez la citrouille et les pommes de terre en gros cubes.

1 heure avant de servir, ajoutez le hachis avec les tomates et les cubes de citrouille et de pommes de terre. Salez et poivrez.

Préparez le pain dans la soupière. Mouillez le avec du bouillon. Quand il est bien imprégné, versez le reste du bouillon ainsi que quelques légumes. Servez le reste des légumes dans un plat chaud.

Et, bien sûr, n'oubliez pas de faire chabrol.

Pumpkin soup

For 10 people :
4 l water
750 g pumpkin
1 kg fresh white
beans in their pods
+ 500 g dried beans
500 g green beans
(mange-tout)
500 g ripe tomatoes
3 big potatoes
1 onion
2 cloves garlic
parsley
1 tblsp goose fat
3 slices bacon
a few thin slices of
stale country bread
salt, pepper

Boil the water. Throw in the fresh white beans along with the green beans. If using dried beans, put them in the cold water. Bring slowly to a boil. After 45 minutes add the green beans.

Chop onion, garlic, parsley and bacon (see above recipe for hachis). In a frying pan, sautee the mixture until golden.

Peel, seed and chop the tomatoes. Add them to the frying pan. Fry the mixture a bit more. Cut pumpkin and potatoes into big cubes.

An hour before serving, pour the fried mixture into the pot. Add potatoes and pumpkin. Season with salt and pepper.

Put the bread into the soup tureen. Pour over the bouillon. Wait a few minutes until the bread is well soaked, then cover with some of the vegetables. Put the rest of the vegetables in a warm dish and serve.

And of course, finish with «chabrol».

Soupe au basilic

- 2 l d'eau
- 500 g de haricots blancs frais
- 250 g de haricots mange-tout
- 2 grosses pommes de terre
- 2 navets
- 1 branche de céleri
- 4 tomates bien mûres
- 1 bouquet garni
- 2 gousses d'ail
- 1 bouquet de basilic
- 125 g de vermicelles
- 2 cuil. à soupe d'huile d'olive
- sel, poivre

Faites bouillir l'eau. Écossez les haricots. Pelez et coupez en petits cubes les pommes de terre, les navets, le céleri. Mettez le tout dans l'eau bouillante avec les haricots et le bouquet garni. Salez, poivrez.

Pelez et épépinez les tomates. Coupez-les en 8. Ajoutez-les à la soupe.

Quand les légumes sont cuits (autour de 45 minutes), ajoutez les vermicelles.

Pendant qu'ils cuisent, pelez et écrasez l'ail. Hachez les feuilles du basilic. Versez l'huile très lentement sur l'ail comme pour une mayonnaise. Ajoutez le basilic. Mettez ce mélange dans la soupière et versez la soupe chaude dessus.

Mélangez et servez immédiatement.

Basil and garlic soup

2 litres water
2 big potatoes
or 4 small ones
2 turnips
2 sprigs celery
500 g white fresh
beans
250 g mange-tout
(large green beans)
1 bouquet garni
(aurel, thyme,
parsley)
2 cloves garlic
a few sprigs basil
4 ripe tomatoes
125 g vermicelli
2 tblsp olive oil
salt, pepper

Boil the water. Pod the beans. Peel and slice potatoes and turnips. Put them in the pot with celery, green beans, salt, pepper, bouquet garni.

Peel, seed and cut the tomatoes into 8 pieces. Add them to the broth.

When the vegetables are cooked (45 minutes to one hour) pour in the vermicelli.

While they cook, crush the peeled garlic. Chop the basil leaves thinly. Add the oil drop by drop to the garlic as if making a mayonnaise, then add the basil. Put the mixture in the serving tureen and pour the soup over it. Stir and serve hot.

This soup is very close to the provençale soupe au pistou.

salade de tomates de mon père

- 6 grosses tomates de jardin ou 12 petites
- 3 cuil. à soupe d'huile d'olive
- 1 cuil. à soupe de vinaigre de vin
- sel, poivre
- 3 tiges de ciboulette ou 1 oignon frais

Pelez les tomates. Versez dessus de l'eau bouillante, laissez 30 secondes, passez sous l'eau froide. La peau s'en va toute seule. Vous pouvez aussi essayer à froid avec un couteau économe comme pour les pommes de terre.

Coupez les tomates en tranches. Enlevez les graines. Mettez dans une passoire avec un peu de sel fin. Laissez dégorger 15 minutes.

Arrangez les tranches de tomates sur un plat creux.

Préparez la vinaigrette sans sel (les tomates sont déjà salées) et versez-la sur les tomates.

Hachez la ciboulette ou l'oignon et répartissez sur les tomates.

My father's tomato salad

big garden
matoes or 12 small
es
tblsp olive oil
tblsp vinegar
alt, pepper
hives or 1 spring
ion

Peel the tomatoes. Cover them with boiling water. Leave for 30 seconds. Drain and plunge into cold water. The skin will come off almost by itself.

You can also peel with a potato peeler like you would do for a potato, in which case you avoid warming them with the hot water.

Slice the tomatoes, remove the seeds. Place in a colander. Sprinkle with salt. Let them stand for 15 minutes.

Arrange the slices on a serving dish.

Prepare a vinaigrette with oil, vinegar, pepper (no salt, there is already some left). Pour over the tomatoes.

Chop the herbs and sprinkle on top of the dish.

salade de concombres

- 2 concombres de jardin
- 3 cuil. à soupe d'huile d'olive
- 1 cuil. à soupe de vinaigre de vin
- sel, poivre
- 2 tiges d'estragon

Pelez les concombres. Coupez-les en tranches très fines. Je me sers de la râpe à fromage qui a une fente au milieu. Mettez-les dans une passoire. Saupoudrez de sel fin. Laissez-les dégorger pendant au moins 1 heure et plus longtemps si possible. Ceci va amollir les concombres et les rendre bien plus faciles à digérer.

Avant de les assaisonner, goûtez-les. Normalement tout le sel est parti, sinon, lavez-les et séchez-les bien.

Mettez les concombres dans un saladier.

Préparez la vinaigrette. Versez-la sur les concombres. Mélangez.

Saupoudrez des feuilles d'estragon hachées.

———

Cucumber salad

2 garden
cucumbers
3 tblsp olive oil
1 tblsp vinegar
salt, pepper
2 sprigs tarragon

Peel the cucumbers. Slice very thinly.
I use a flat cheese grater with a split in the
middle. Place in a colander. Toss with a
teaspoon of salt. Let them stand for an hour
or more (the longer, the better).
This will soften the cucumber and make it
easier to digest.
Before seasoning, taste the cucumber. If they
are too salted, wash them. Then drain thoroughly. But this should not be necessary if
you have waited long enough.
Place the cucumber in a bowl. Prepare the
vinaigrette with oil, vinegar (or verjus) and
pepper. Pour into the bowl. Mix.
Chop the tarragon leaves and sprinkle over
the cucumber.

salade de pommes de terre tièdes

- 6 pommes de terre moyennes ou 10 petites
- 1/2 verre de vin blanc sec
- 5 cuil. à soupe d'huile d'olive ou de noix
- 2 cuil. à soupe de vinaigre de vin
- sel, poivre
- 2 oignons frais
- quelques tiges de persil
- quelques tiges de ciboulette

Lavez les pommes de terre. Ne les pelez pas. Faites-les cuire à la vapeur. Quand elles sont cuites et encore chaudes, pelez-les et coupez-les en tranches. Mouillez avec le vin. Mélangez. Préparez la vinaigrette. Versez-la sur les pommes de terre. Mélangez. Hachez les herbes et saupoudrez-en la salade. Vous pouvez aussi ajouter des cornichons coupés en tranches et/ou des œufs durs.

Poireaux en salade

- 1 kg de poireaux
- 5 cuil. à soupe d'huile de noix
- 1 cuil. à soupe de vinaigre de vin
- 1 cuil. à café de moutarde
- sel, poivre

Ne gardez que la partie blanche des poireaux. Lavez-les bien. Attachez les en botte. Faites les bouillir 25 minutes dans de l'eau bouillante salée ou à la vapeur. Egouttez. Attendez qu'ils soient tièdes ou froids. Arrangez-les dans un plat. Préparez la vinaigrette et versez-la sur les poireaux.
Vous pouvez aussi ajouter des œufs durs hachés.

Warm potatoes salad

6 average potatoes
or 10 small
1/2 glass dry white
wine
2 tblsp vinegar
5 tblsp walnut
or olive oil
a few sprigs parsley
a few sprigs chervil
2 spring onions
salt, pepper

Wash the potatoes but do not peel them. Steam them until cooked. When ready and still hot, remove the skin, slice, place in a bowl and pour over the wine. Toss. Prepare a vinaigrette with oil, vinegar, salt, pepper. Pour over the warm potatoes and toss.
Chop the herbs and sprinkle. Wait 30 minutes before eating. The salad will be well impregnated with the seasoning. You can add sliced gherkins and/or hard boiled eggs.

Leek salad

1 kg leeks
5 tblsp walnut oil
1 tblsp wine
vinegar
1 tsp mustard
salt, pepper

Keep only the white part of the leeks. Wash them thoroughly. Tie them together in a bunch. Boil for 25 minutes in salted water or steam. Drain. Wait until lukewarm or cold. Arrange on a dish. Prepare the vinaigrette with oil, vinegar, mustard, salt, pepper. Pour over the leeks.
You can add chopped hard boiled eggs.

salade de pourpiers aux œufs durs

- 1 poignée de pourpiers par personne
- 4 cuil. à soupe d'huile de noix
- 1 cuil. à soupe de vinaigre de vin
- 1/2 poivron
- 2 œufs
- sel, poivre

Enlevez les feuilles des tiges. mettez-les dans une passoire. Saupoudrez de gros sel. Laissez reposer pendant 24 heures.

Egouttez et mettez dans un saladier. Faites durcir les œufs. Préparez la vinaigrette et versez-la sur les pourpiers. Coupez le poivron en fines rondelles. Mélangez.

Coupez les œufs durs en rondelles ou hachez-les et éparpillez-les sur la salade.

Le pourpier pousse tout seul dans les prés. Vous n'avez qu'à le ramasser. On le cultive parfois dans le jardin et on en trouve chez les bons marchands de légumes.

Purslane salad

a handful of
purslane per person
4 tblsp walnut oil
1 tblsp wine
vinegar
1/2 red pepper
2 eggs
salt, pepper

Separate the leaves from the stems.
Place in a colander. Stir in some coarse salt.
Leave to stand 24 hours.
Drain and place in a bowl. Prepare the vin-
aigrette with oil, vinegar, pepper. Pour on the
leaves. Toss.
Slice the red pepper thinly. Add to the
salad.
Hard boil the eggs. Peel and slice them. Add
to the salad.
You could also chop the hard boiled eggs in-
stead of slicing.

Purslane grows naturally in the fields. All you have to do is
pick it up. It is sometimes grown in gardens and can be found
in good vegetable shops

salade de pissenlits aux noix

- 1 poignée
de jeunes pissenlits
- 4 cuil. à soupe
d'huile de noix
- 1 cuil. à soupe
de vinaigre de vin
- 10 noix
- sel, poivre

Nettoyez et lavez bien les pissenlits. Egouttez-les, séchez-les, et mettez-les dans un saladier. Préparez la vinaigrette et versez-la sur la salade. Tournez. Hachez les noix, ajoutez-les à la salade. Mélangez et servez.

salade de lentilles

- 500 g de lentilles
- 6 cuil. à soupe
d'huile d'olive
ou de noix
- 2 cuil. à soupe
de vinaigre de vin
- 1 cuil. à café
de moutarde
- 2 oignons frais
- quelques tiges
de persil et autres
herbes
- sel, poivre

Mettez les lentilles dans 2 ou 3 fois leur volume d'eau froide et portez très lentement à ébullition. Salez à mi-cuisson. Egouttez. Laissez tiédir. Préparez la vinaigrette. versez-la sur les légumes. Mélangez. Hachez les herbes et les oignons. Ajoutez-les à la salade. Mélangez.

Vous pouvez remplacer les lentilles par des haricots blancs secs et ajouter un cornichon coupé en rondelles très fines.

Dandelion salad with walnuts

a handful of
dandelion leaves
per person
4 tblsp walnut oil
1 tblsp vinegar
10 walnuts
salt, pepper

Clean and wash the dandelion leaves carefully. Drain, dry, and place in a bowl.
Prepare a vinaigrette with oil, vinegar, salt,
pepper. Pour over the salad. Chop the walnuts. Add to the salad. Toss and serve.

Dandelion can be picked up in the fields or bought.

Lentil (or bean) salad

500 g lentils
(or white beans)
6 tblsp walnut
or olive oil
2 tblsp vinegar
1 tsp mustard
2 spring onions
a few sprigs parsley
and any other herb
you have available
salt, pepper

Cook lentils (or beans) as usual. Start in
2 to 3 times the amount of cold water on very
low heat and simmer until cooked. Add salt
when half cooked. Drain.
Let the vegetables cool down a little. Prepare
the vinaigrette. Pour over and toss. Chop onion
and herbs and add to the salad. Toss.

You could add a thinly sliced gherkin to the haricot salad.

Foie gras mi-cuit à la Serge

- 1 foie gras cru de canard ou d'oie (entre 500 et 700 g)
- 5 g de sel
- 1 pincée de poivre
- 1 pincée de 4 épices
- 1 petit verre à liqueur de très bon cognac ou armagnac (facultatif)

Enlevez les vaisseaux sanguins du foie (on dit souvent « dénerver », car ce ne sont pas des nerfs). Prenez une terrine en porcelaine ou en terre un peu plus grande que le foie, versez la moitié de l'alcool au fond. Salez et poivrez très légèrement les lobes. Mettez en un au fond, côté lisse vers le fond, Salez et poivrez. Couvrez avec l'autre partie des lobes, côté bombé en haut. Versez le reste de l'alcool et les 4 épices. Couvrez avec le couvercle ou du papier sulfurisé. Mettez au réfrigérateur pendant toute une nuit.

Sortez la terrine 2 heures avant de la faire cuire. Chauffez bien le four à 200° C (th. 6). Mouillez le papier sulfurisé, Remettez le couvercle ou du papier d'aluminium. Installez la terrine dans un plat plus grand que vous remplissez d'eau chaude jusqu'à mi-hauteur de la terrine. Enfournez le tout et éteignez le four immédiatement si c'est un four électrique, ou baissez au minimum si c'est un four à gaz. Laissez 15 à 20 minutes.

Half-cooked foie gras

1 fresh goose or
duck liver (usually
weighing around
[?]00 g)
5 g salt
1 pinch pepper
1 pinch all spices
1 tblsp very
good brandy (not
mandatory)

Remove the veins from the foie gras. At the bottom of a terrine dish (porcelain or glazed pottery or glass), pour half the brandy, 1/3 of the salt and pepper. Arrange half of the liver, untouched side down. Sprinkle another 1/3 salt and pepper. Place the other half of the liver. Sprinkle with the rest of salt and pepper, all spices and the rest of the brandy.

Put the lid on (or cover with foil) and leave to rest one night in the fridge.

Next day, take the terrine out of the fridge and leave it out for 2 hours.

Preheat oven at mark 6 (200° C).

Wet some greaseproof paper and cover the terrine with it. Put the lid back on. Place the terrine in a bain-marie (bigger dish filled with hot water).

Put the whole lot in the oven. If you have an electric oven, switch it off and leave the terrine in the oven until cold. If you use a gas oven, turn it down to very slow (mark 1). And bake for 20 minutes.

Sortez la terrine du four et laissez refroidir.

Versez le gras et les autres liquides générés pendant la cuisson dans un bol (vous ferez d'excellentes pommes de terre sarladaises avec ce gras).

Préparez une planchette de la taille de la terrine, enveloppez-la de papier alu, mettez-la sur le foie et appuyez au maximum pour sortir tout le gras que vous versez avec le reste.

Mettez la terrine avec sa planche au frigo et mettez des poids lourds (bouteilles pleines) sur la planchette afin d'obtenir un foie bien plat.

Une heure plus tard, appuyez encore sur la planchette. Remettez le tout au frigo pour quelques heures. Enlevez la planchette et égalisez la surface du foie.

Faites chauffer le gras écoulé et versez le sur le foie froid afin de le conserver. Si vous le mangez tout de suite, inutile de remettre le gras.

Vous pouvez conserver le foie cuit ainsi environ une semaine.

Quand vous êtes prêts à le manger, découpez des tranches avec un couteau chaud et servez. Chacun saupoudre sa tranche d'un peu de poivre et de fleur de sel.

Remove from the oven. Wait until cold. Before completely cold, pour out any fat and juices generated by the cooking. Keep them. Make a small board with strong cardboard or plywood. It should be the exact size of the terrine opening. Wrap this board in foil and place on top of the cooked, cold foie gras. Press to remove as much fat as possible. Pour out and keep the fat.
Place the terrine in the fridge. Place a heavy object on top like a full bottle. Keep a few hours in the fridge. Remove the board. Smooth the surface. Melt the fat you kept and pour it on top of the foie if you are not planning to eat it immediately (do not keep more than a week). Chill.
If you eat it immediately, no need to add the fat back.
To eat, cut slices with a hot knife and sprinkle a little salt and pepper on each slice.

There are hundreds of recipes for preparing half-cooked cold foie gras. This is my favourite one.

Foie gras à l'ancienne

- 1 foie gras cru de canard ou d'oie (pesant entre 500 et 700 g)
- 5 g de sel
- 1 pincée de poivre de la graisse d'oie ou de canard
- 1 petit verre à liqueur de très bon cognac ou armagnac (facultatif)
- du saindoux

Enlevez les vaisseaux sanguins du foie. Salez, poivrez, versez l'alcool, mettez au réfrigérateur pendant 24 heures.

Faites fondre la graisse qui ne doit pas bouillir. Gardez-la à une température entre 85 et 90° C. Faites cuire le foie dans cette graisse pendant 1 heure. Ne laissez jamais bouillir. Vérifiez la cuisson en piquant le foie avec une paille. Si le liquide qui en sort est doré, le foie est cuit.

Sortez-le doucement et mettez-le dans une toupine en porcelaine, en terre ou en verre. Couvrez de graisse. Laissez refroidir.

Le lendemain, quand la graisse est bien prise, coulez 2 cm de saindoux par-dessus.

Les foies traités ainsi se gardent 3 mois.

___

Foie gras: the old way

1 goose or duck
liver
5 g salt
1 pinch pepper
1 tblsp very
good brandy like
Armagnac (not
mandatory)
goose or duck
fat lard

Remove the veins of the liver. Add salt and pepper. Pour in the brandy.

Keep in the fridge for 24 hours.

Melt the fat to a temperature under boiling point (around 200° F). Put the liver in it. Simmer without boiling for 40 to 60 minutes (depending on the size of your liver). Check the level of cooking by piercing the liver with a straw. If the fat which comes out is golden, the foie gras is cooked.

Remove it gently and put it in a porcelain or pottery pot. Cover with the fat. Let it cool down. The next day, melt some lard. Pour 2 cm over the cold goose or duck fat. Keep cool and eat within the next 3 months.

Before sterilising was invented, this was the way foie gras could be kept up to 3 months.

Oeufs

Omelette aux truffes

- 8 œufs
- 2 truffes fraîches
- 2 cuil. à soupe de graisse d'oie
- sel, poivre

Brossez bien les truffes pour éliminer toute trace de terre. Pelez-les et coupez-les en tranches très minces. Hachez la peau.

Faites chauffer la moitié de la graisse dans une grande poêle et faites revenir les truffes pendant quelques minutes.

Battez les œufs. Salez, poivrez, ajoutez la peau des truffes hachée et les tranches de truffes. Faites chauffer le reste de la graisse dans la poêle et faites l'omelette comme d'habitude

How to make an omelette roulée

I'm sure you know how to make an omelette. Nevertheless, I will explain our method. Preferably use a non stick frying pan. Beat the eggs thoroughly, add salt and pepper, and eventually, the garnish (see below for some examples). Warm 1 tbl fat (goose or duck fat, butter, oil) in the pan.

When the fat is very hot, pour in the eggs mixture. Let the eggs settle for 3 seconds. Then jerk the pan vigorously toward you at

Truffle omelette

3 eggs
2 fresh truffles
2 tblsp goose fat
salt, pepper

Brush the truffles carefully to eliminate any dirt. Peel them and cut in thin slices. Chop the shavings.

Warm half the fat in the frying pan, sauté the truffle slices a few minutes.

Beat the eggs, add salt and a little pepper, the chopped truffle shavings and the sliced truffles.

Melt the rest of the fat in the frying pan, pour in the egg mixture and make the omelette.

a 20 degree angle. This movement throws the eggs against the far lip of the pan, then back over its bottom surface. The eggs will begin to thicken. Increase the angle of the pan. The eggs will roll over itself. Help them if needed with a fork. As soon as the omelette is a pale golden colour, it is ready. Do not overcook. The centre stays soft and creamy.

If you are not familiar with this method, practice with a small 2 to 3 eggs omelette.

Œufs brouillés aux truffes

- 8 œufs
- 2 petites truffes ou 1 grosse
- 1 cuil. à soupe de graisse d'oie
- 6 tranches de pain
- sel, poivre

Cassez les œufs et battez-les avec du sel et du poivre.

Brossez et pelez les truffes. Hachez peau et truffes. Ajoutez aux œufs battus.

Préparez un bain-marie. Mettez la graisse dans la plus petite des casseroles, versez le mélange d'œufs et de truffes et mettez le bain-marie sur feu moyen. Fouettez sans vous arrêter jusqu'à ce que le mélange prenne la consistance d'une crème. Pendant ce temps, faites griller le pain et gardez-le au chaud. Dès que la crème d'œufs est prise, versez-la sur le pain chaud et servez immédiatement

———

scrambled eggs with truffles

eggs
small truffles
a big one
tblsp goose fat
slices of bread
alt, pepper

Break the eggs and beat them with salt and pepper.

Brush and peel the truffles. Chop shavings and truffles. Add to the eggs.

Prepare a bain-marie. Or use two saucepans, one big enough to hold the eggs and a bigger one in which you put hot water.

Melt the fat in the smaller pan, pour in the eggs and put it in the bigger pan with the water. Place everything on moderate heat. Do not stop beating with a whisk until the mixture turns a smooth cream.

Toast the bread during cooking. As soon as ready pour the cream over the toast. And serve immediately

———————

Of course, this dish is now a rare luxury, but when I was a child, during the season, there were enough truffles in the woods around my grand-mother's house, so they were eaten with everything.

Omelette aux cèpes

- 8 œufs
- 500 g de cèpes
- 2 cuil. à soupe de graisse d'oie
- 1 gousse d'ail
- quelques brins de persil
- sel, poivre

Séparez les queues des têtes des cèpes.

Nettoyez-les bien, sans les laver si possible, pour ne pas les ramollir.

Coupez les têtes en morceaux de 1 cm environ.

Faites fondre la moitié de la graisse dans une poêle. Faites dorer les champignons, baissez le feu, couvrez et laissez cuire pendant 30 minutes.

Pelez les pieds. Hachez-les fin avec le persil et l'ail. Ajoutez ce hachis aux morceaux de têtes en train de cuire.

Battez les œufs. Salez et poivrez.

Enlevez les cèpes de la poêle, faites fondre le reste de la graisse. Versez-y les œufs et les champignons.

Faites l'omelette comme d'habitude.

Servez dès que c'est cuit sur un plat chaud.

Pour faire une omelette aux girolles, coupez la base des pieds. Enlevez la terre et lavez-les à plusieurs eaux. Blanchissez-les une minute à l'eau bouillante vinaigrée. Egouttez-les et séchez-les. Laissez cuire pendant 20 minutes seulement.

Ajoutez le hachis de persil et ail et faites l'omelette comme d'habitude.

Cèpe omelette

eggs
00 g cèpes
tblsp goose fat
oil
clove garlic
few sprigs parsley
lt, pepper

Separate the cèpes caps from the stalks. Clean them carefully. If possible, do this with cloth or paper towel. If you need to wash them, do not soak. Dice the caps until the chunks are about 1/4 in. Melt half the fat in a frying pan. Sauté the mushroom until golden, then lower the heat, cover and cook for 30 minutes.

Peel the mushroom stalks. Chop them very finely with garlic and parsley. Add to the caps. Beat the eggs, add salt and pepper. Remove the cèpe from the pan.

Heat the remaining fat in the pan, pour in the eggs and the mushrooms.

Make the omelette as explained above

Serve on warm dish and eat immediately.

For a chanterelle omelette, trim the base of the mushrooms. Clean away the dirt and wash thoroughly. Blanch one minute in boiling water with the vinegar. Drain and dry.

Sauté for 20 minutes. Chop the garlic and parsley. Add to the mushrooms. Make the omelette as explained above.

Omelette aux pommes de terre

- 8 œufs
- 500 g de pommes de terre
- 2 cuil. à soupe de graisse d'oie
- 1 gousse d'ail
- quelques brins de persil
- sel, poivre

Pelez les pommes de terre et coupez-les en tranches fines.

Faites fondre la moitié de la graisse dans une poêle. Faites dorer les pommes de terre, baissez le feu, couvrez et laissez cuire pendant 30 minutes.

Préparez le hachis de persil et d'ail comme d'habitude, mettez-le à cuire avec les pommes de terre en surveillant bien qu'elles ne brûlent pas. Quand elles sont cuites, vous tassez bien. Vous avez maintenant un gros gâteau doré.

Battez les œufs. Salez et poivrez. Mettez le reste de la graisse dans la poêle, versez les œufs sur les pommes de terre. Quand l'omelette est bien cuite d'un côté, essayez de la retourner d'un coup de poignet comme une grosse crêpe. Si vous n'osez pas, recouvrez votre poêle avec le plat de service, tenez le bien et retournez la poêle. Glissez l'omelette du plat dans la poêle et finissez la cuisson de l'autre côté pendant une minute.

Servez avec une salade verte. Votre dîner est prêt.

Potato omelette

00 g potatoes
eggs
tblsp goose fat
oil
clove garlic
few sprigs parsley
alt, pepper

Peel the potatoes. Slice thinly.

Melt half the fat in a frying pan. Sauté the potatoes until golden. Add a little salt and pepper. Cover and cook on low heat.

Prepare the hachis of garlic and parsley as usual. Pour it on top of the potatoes, cover and continue cooking for about 30 minutes, making sure not to burn.

When cooked, press the potatoes together. They now look like a big golden cake.

Beat the eggs. Add salt and pepper.

Add the rest of the fat to the pan. Pour in the eggs. Mix with the potatoes. When the omelette is well cooked on the bottom, try to toss it over by a flip of the pan to cook the top .

If you don't dare, cover the pan with a dish of the same size, hold the dish tightly and turn over. Then, slide the omelette back to the pan to finish cooking the other side for a minute.

Slide onto a warm dish and serve with a green salad. Your dinner is ready.

Omelette à l'oseille

- 8 œufs
- 1 poignée d'oseille
- 2 cuil. à soupe de graisse d'oie
- quelques brins de persil, ciboulette, cerfeuil
- sel, poivre

Enlevez les tiges et lavez bien l'oseille et les herbes. Hachez le tout.

Battez les œufs. Salez et poivrez. Ajoutez le hachis d'herbes. Mettez la graisse dans la poêle et faites l'omelette comme d'habitude.

L'oseille a tendance à coller. Il se peut donc que vous ayez besoin de rajouter un peu de graisse pour décoller l'omelette de la poêle.

Servez avec une laitue à la vinaigrette d'huile de noix.

Autre méthode : faites revenir l'oseille nettoyée dans un peu de graisse. Sortez-la. Faites l'omelette comme d'habitude et placez l'oseille cuite au centre de l'omelette avant de la rouler.

sorrel omelette

eggs
tblsp goose fat
oil
handful sorrel
few sprigs chervil
few sprigs
rsley, chives
lt, pepper

Remove the stems and wash sorrel and herbs.
Chop them.
Beat the eggs. Add salt, pepper, tiny chervil
and chopped sorrel and herbs.
Warm the fat in a frying pan and make the
omelette as usual.
Sorrel has an tendency to stick, so you might
have to add a little fat to remove it from the
pan into the serving dish.
Eat with lettuce in a walnut vinaigrette.

Another way to make this omelette: fricassee the sorrel in a
little fat in a frying pan. Remove it.
Make the omelette as usual in the pan and pour the cooked
sorrel on top of the omelette before closing it.

Œufs à la sarladaise

- 6 œufs
- 1 gousse d'ail
- 6 tranches de pains
- 1 bol de sauce tomate

Préparez la sauce tomate. Mettez-la dans une grande poêle sur feu modéré. Cassez-y les œufs délicatement comme pour faire des œufs pochés. Frottez les tranches de pain à l'ail. Faites griller. Arrangez-les sur le plat de service.

Quand le blanc des œufs est pris, mais que le jaune est encore liquide, déposez délicatement chaque œuf sur une tranche de pain et versez la sauce tomate sur le tout.

Œufs à la coque aux truffes

- 1 truffe fraîche (indispensable, ce système ne marche pas avec des truffes en boîte)
- 4 œufs
- sel

Mettez les œufs entiers dans leur coquille dans une boîte étanche avec la truffe. Fermez bien et laissez au réfrigérateur pendant 24 heures ou plus. Faites cuire les œufs à la coque comme d'habitude et mangez-les avec du pain, du beurre, du sel. Délicieux et vous gardez la truffe pour faire autre chose.

Eggs in tomato sauce

5 eggs
1 clove garlic
5 slices bread
1 bowl of tomato
sauce

Prepare the tomato sauce as usual. Pour into a big frying pan over moderate heat. When warm, break the eggs carefully into it. Rub the bread with garlic and toast. Arrange the toast on a warm serving dish. When the whites are cooked, but the yokes still liquid (as in a soft boiled egg), remove each egg carefully with a skimmer ladle and place on the toasted bread. Pour over the tomato sauce.

Soft boiled truffled eggs

For 2 people:
1 fresh truffle
(mandatory, this trick does not work with tinned truffles)
4 eggs
salt

Put the eggs (not broken) in a plastic box with the truffle. Close tightly. Leave 24 hours in the fridge. Soft boil the eggs as per usual. Eat as you normally would with salt, bread and butter.

The truffle flavour is so strong that it seeps through the egg shell and gives the eggs this incomparable taste.

Légumes
et accompagnements

Pommes de terre sarladaises

- 1,5 kg de pommes de terre
- 2 cuil. à soupe de graisse d'oie
- 1 gousse d'ail
- 6 brins de persil
- sel, poivre

Pelez et coupez les pommes de terre en tranches épaisses. Faites fondre la graisse dans une cocotte en fonte épaisse. Jetez-y les pommes de terre. Mélangez bien jusqu'à ce que toutes les pommes de terre soient bien imprégnées de graisse. Salez et poivrez. Baissez le feu et couvrez. Mélangez de temps en temps. Les pommes de terre sont prêtes quand elles sont cuites et dorées au fond de la cocotte (30 à 45 minutes). Hachez l'ail et le persil et saupoudrez-en les pommes de terre. Laissez encore 5 minutes. Si elles sont cuites, mais pas dorées, montez le feu et surveillez. Éteignez le feu dès que le fond est bien grillé. Et servez.

Sarlat sautéed potatoes

This (along with foie gras and an omelette aux cèpes,) is the queen of Perigordian cooking, but very far from being the only food eaten here (as you might tend to believe given the restaurant menus in Sarlat). This dish is very simple to do well if you use the right ingredients and cooking utensils. In

sarlat potatoes

1,5 kg potatoes
2 tblsp goose fat
1 clove garlic
5 sprigs parsley
salt, pepper

Peel and cut the potatoes into thick slices. Melt the fat in a heavy casserole, add the potatoes. Stir until all potatoes are well covered and impregnated with the fat. Add salt and a little pepper. Then lower the flame and cover the casserole. Stir from time to time.

Potatoes are ready when cooked and brown at the bottom of the pan. (depending on the quality of potatoes, this will take from 30 to 45 mn). Chop garlic and parsley together and pour on the top of the potatoes.

Leave another 5 minutes. If they are not brown enough, increase the heat up for a while, watching carefully, so they do not burn. And serve.

my grand-mother's kitchen, we use a very old cocotte en fonte (cast iron casserole) which has been used to cook thousands of potatoes. Pommes de terre sarladaises never taste like those anywhere else, but they can be quite delicious no matter where you are if you follow my recipe.

Pommes de terre aux cèpes

- 1,5 kg de pommes de terre
- 1 cuil. à soupe de graisse d'oie
- 1 gousse d'ail
- 6 brins de persil
- quelques cèpes
- sel, poivre

Pelez et coupez les pommes de terre en tranches épaisses. Faites fondre la graisse dans une cocotte en fonte épaisse. Jetez-y les pommes de terre. Mélangez bien jusqu'à ce que toutes les pommes de terre soient bien imprégnées de graisse.

Lavez et séchez vos cèpes. Coupez les têtes en gros morceaux. Ajoutez aux pommes de terre et faites cuire le tout ensemble 30 minutes. Pelez et hachez les queues finement, mélangez au hachis.

Versez dans la cocotte. Salez et poivrez.

Mélangez et laissez cuire jusqu'à ce que les pommes de terre soient cuites et dorées au fond de la cocotte (30 à 45 minutes)

sautéed potatoes with cèpes

1,5 kg potatoes
1 tblsp goose fat
1 clove garlic
6 sprigs parsley
a few cèpes
salt, pepper

Prepare your potatoes as above.
Wash and dry the cèpes. Chop the caps roughtly. Add to the potatoes.
Cook the whole lot for 30 minutes.
Chop the stalks thinly. Add to the hachis prepared as above.
Pour on top of the potatoes. Cover tightly. Add salt and pepper. Cook until the potatoes are ready as above.. Toss from time to time.

If you have found too few cèpes in the woods to make a dish, use them to flavour your pommes de terre sarladaises. It is a good match.

Haricots à la périgourdine

- 500 g de haricots secs ou 1 kg de frais (qui donneront environ 500 g une fois écossés)
- 1 oignon
- 200 g de lard
- 2 gousses d'ail
- 5 brins de persil
- sel, poivre

Si les haricots sont secs, faites-les tremper une nuit. S'ils sont frais, blanchissez-les 1 minute à l'eau bouillante. Ensuite, mettez les haricots et l'oignon dans une cassserole. Couvrez-les d'eau froide 1 cm au-dessus des haricots. Couvrez et laissez cuire à feu très doux pendant 2 heures environ. Surveillez et ajoutez un peu d'eau chaude si nécessaire. Les haricots ne doivent pas nager dans l'eau. Quand ils seront cuits, il ne restera pas d'eau, seulement un jus épais très goûteux. Salez et poivrez à mi-cuisson. En même temps, faites un hachis avec l'ail, le persil, le lard et ajoutez-le aux haricots. Quand les haricots sont bien mous, ils sont cuits.

Ce plat est délicieux avec du confit d'oie ou de l'agneau rôti.

White beans
à la Périgourdine

500 g white dried
beans or 1 kg fresh
in their pods (will
give about 500 g
when podded)
1 onion
200 g dry cured
bacon
2 cloves garlic
5 sprigs parsley
salt, pepper

If the beans are dried, soak them overnight. If they are fresh, boil them for 1 minute in boiling water, then drain.

Put the beans in a pot with cold water and add the onion . The water should be 1/2 inch above the beans. Cover and cook slowly for about 2 hours. Check regularly and add a little hot water if necessary. The beans should not swim in the water. When they are cooked, there is no water left, just a thick juice.

After an hour, add salt and pepper. Chop the bacon, garlic and parsley very finely (like mince for sausage) , mix and add to the beans. Continue cooking until soft.

Delicious with confit d'oie or a lamb roast.

White beans grow very well in Dordogne and are a vegetable very dear to Perigordians.

This recipe can be done with fresh or dried beans.

Cèpes à la périgourdine

- 1 kg de cèpes
- 3 cuil. à soupe d'huile neutre
- 1 échalote
- quelques brins de persil
- 2 gousses d'ail
- 1 cuil. à soupe de verjus ou de vinaigre de vin
- sel, poivre

Séparez les têtes des cèpes des queues. Nettoyez-les bien avec un chiffon ou du papier essuie-tout. Si vous devez les laver, ne les laissez pas tremper. Séchez-les bien.

Faites chauffer l'huile dans une grande poêle. Faites dorer les têtes. Salez, poivrez, couvrez. Baissez le feu et surveillez. Les cèpes doivent cuire au moins une heure et demie et ne pas brûler. Si les queues sont en bon état, pelez-les et hachez-les avec l'ail, l'échalote et le persil. Ajoutez aux cèpes une demi-heure avant la fin de la cuisson. Avant de servir, arrosez de verjus ou de vinaigre. Pour servir arrangez les têtes sur un plat chaud et couvrez avec le hachis.

Ce plat est délicieux avec toutes les viandes grillées ou rôties.

Cèpes Périgord

1 kg cèpes
3 tblsp neutral oil
ke sunflower
1 shallot
a few sprigs parsley
2 cloves garlic
1 tblsp vinegar
r verjus
salt, pepper

Separate the cèpe caps from the stalks.
Clean them carefully. If possible, do this with a cloth or a paper towel. If you need to wash them, do not soak.
Warm the oil in a frying pan. Sautee the mushroom caps stirring often.
When golden on all sides, add salt and pepper, cover and lower the heat to minimum, as the cèpes must cook at least one and a half hour and they should not burn.
If the stalks are not too soft, peel them, chop them with shallot, garlic and parsley. Add to the cooking mushroom caps and cover.
When ready, pour in the vinegar or verjuice.
To serve, arrange the mushroom heads in a warm dish and cover with the chopped herbs and sauce.
This dish is delicious with any roast meat.

———

Girolles à la persillade

- 500 g de girolles (ou ce que vous avez trouvé dans les bois)
- 1 tranche de jambon de pays ou de lard
- 1 gousse d'ail
- quelques brins de persil
- 1 cuil. à soupe d'huile neutre
- 1 cuil. à soupe de verjus ou de vinaigre de vin
- sel, poivre

Lavez bien les champignons. Blanchissez-les quelques minutes à l'eau bouillante. Egouttez et séchez. Faites chauffer l'huile dans une grande poêle. Faites-y dorer les girolles.

Hachez le jambon ou le lard avec l'ail et le persil. Ajoutez-le aux girolles, salez et poivrez. baissez le feu, couvrez et laissez cuire 30 minutes.

Avant de servir, arrosez de verjus ou de vinaigre.

Carottes aux oignon.

- 1 kg de jeunes carottes
- 5 ou 6 oignons frais
- 200 g de lard
- 1 cuil. à soupe de graisse d'oie
- quelques brins de persil
- sel, poivre

Lavez et grattez les carottes. Coupez-les en tranches. Coupez le lard en petits dés. Faites fondre la graisse dans une cocotte. Faites revenir carottes et oignons avec le lard. Salez, poivrez, couvrez et laissez cuire à feu très doux. Pour servir, saupoudrez de persil haché.

Sautéed chanterelles

500 g chanterelle
(or whatever
quantity you have
found in the woods)
1 slice ham or
bacon
1 clove garlic
a few sprigs parsley
1 tblsp cooking oil
1 tblsp vinegar
or verjuice
salt, pepper

Wash the mushrooms thoroughly. Blanch them a few minutes in boiling water. Drain and dry. Warm the oil in a frying pan. Brown the chanterelles. Chop ham or bacon, garlic and parsley to make a hachis. Add it to the cooking chanterelles, salt and pepper. Lower the heat, cover tightly and cook slowly for 30 minutes. Before serving, sprinkle with vinegar or verjuice.

Carrots with onions

1 kg young carrots
5 or 6 spring onions
200 g streaky bacon
1 tblsp goose fat
a few sprigs of
parsley
salt, pepper

Wash and scrub the carrots. Slice them. Dice the bacon into small chunks. Melt the fat in a casserole. Throw in carrot, onions, bacon. Add salt, pepper. Brown until golden. Lower the heat, cover and cook until the carrots are tender. Chop the parsley and sprinkle it over the carrots in the serving dish.

Pommes de terre farcies

- 6 grosses pommes de terre
- 200 g de chair à saucisse
- 1 tranche de jambon de pays
- 1 tranche de lard
- 1/2 gousse d'ail
- 1 petit oignon
- quelques brins de persil
- 1 cuil. à soupe de mie de pain
- 1 œuf
- sel, poivre

Pelez les pommes de terre. Creusez-les avec un couteau ou un creuse-pomme. Vous pouvez mettre les morceaux enlevés dans une soupe.

Préparez la farce. Hachez et mélangez tous les ingrédients. Salez et poivrez.

Disposez les pommes de terre creusées dans une grande cocotte.

Remplissez les trous avec la farce. Ajoutez 2 centimètre d'eau ou de bouillon. Vous pouvez aussi y mettre un verre de sauce tomate. Couvrez et faites cuire à feu doux pendant une heure et demie.

10 minutes avant de servir, mettez la cocotte en haut d'un four chauffé th. 5 (190° C) et laissez dorer légèrement les pommes de terre.

———

stuffed potatoes

6 large potatoes
200 g sausage meat
1 slice bacon
1 slice cured ham
1/2 clove garlic
1 small onion
a few sprigs parsley
1 tblsp bread
crumbs
1 egg
salt, pepper

Peel the potaoes. Scoopont some of the inside of the potato with a knife or an apple corer. Use the removed pieces in a soup.

Prepare the stuffing. Chop and mix all the ingredients with salt and pepper.

Put a little fat in a thick casserole.

Arrange the potatoes in it.

Put a spoonful of stuffing inside each potato.

Pour in an inch hot water or better bouillon.

You can also add 1 glass tomato sauce.

Cover and cook on slow heat for 1 hour and 30 minutes.

10 minutes before serving, place in upper part of a preheated oven gaz mark 5 (190° C) to brown lightly.

Tomates farcies

- 6 grosses tomates bien mûres
- 200 g de viande (restes de poulet ou jambon ou chair à saucisse ou foie)
- 1 tranche de lard
- 2 cuil. à soupe de mie de pain
- 1 verre de lait ou de bouillon
- 1 gousse d'ail
- quelques brins de persil
- 1 brin d'estragon
- 2 œufs
- 1 ou 2 cèpes déjà cuits ou tout champignon disponible
- sel, poivre

Préchauffez le four th. 6 (200° C).

Coupez un petit chapeau de chaque tomate côté opposé à la queue. Réservez. Pressez doucement pour extraire les jus et les graines. Installez les tomates dans un grand plat à four, ouverture vers le haut. Saupoudrez l'intérieur de chaque tomate avec un peu de sel et de poivre et quelques gouttes d'huile. Enfournez pour 30 minutes.

Pendant ce temps, préparez la farce. Faites tremper la mie de pain dans le lait ou le bouillon. Egouttez. Hachez la viande, le lard, l'ail et les herbes. Ajoutez la mie de pain égouttée, les champignons, les œufs, salez et poivrez. Mélangez bien.

Sortez les tomates du four. Remplissez-les avec la farce. Couvrez chaque tomate avec son chapeau, ce qui protègera la farce de la sécheresse.

Baissez le four th. 4 (180° C). Enfournez le plat pour au moins une heure. Surveillez et ajoutez un peu d'eau ou de bouillon si c'est trop sec.

stuffed tomatoes

6 large ripe
tomatoes
200 g meat
(leftover chicken or
ham or sausage meat
or liver)
1 slice bacon
2 tblsp bread
crumbs
1 glass milk or
stock
1 clove garlic
a few sprigs parsley
1 sprig tarragon
2 eggs
1 or 2 cooked cèpes
or other mushroom
available
salt, pepper

Preheat oven gaz mark 6 (200° C).
Cut a little slice off the tomaoes on the opposite side to the stalk. Keep them. Squeeze gently to extract the seeds and the juices.
Place in a baking dish on the stalk side, opening on top. Sprinkle the interior with a little salt, pepper and a few drops of oil.
Bake for 30 minutes.
Soak the breadcrumbs in milk or bouillon. Strain. Chop meat, bacon, garlic and herbs. Add dried breadcrumbs, mushrooms, eggs, salt, pepper. Mix well together in a bowl.
Remove the tomatoes from the oven and fill them with the mixture.
Cover each tomato with the slice you cut off. This will protect the stuffing from drying too much.
Lower the oven to gaz mark 4 (180° C). Bake the stuffed tomatoes for at least one hour. Watch from time to time. If you find the dish is too dry, add a little water or bouillon in the bottom.

Petits pois

• 3 kg de petits pois frais dans leurs gousses
• 1 cuil. à soupe de graisse d'oie
• 3 petits oignons frais
• 100 g de jambon de pays
• 1 laitue

Écossez les petits pois. Faites fondre la graisse dans une cocotte. Jetez-y les petits pois, le jambon haché et les oignons. Pas de sel (le jambon est assez salé). Remuez. Les petits pois vont perdre leur eau et rester bien verts. Ajoutez la laitue. Mélangez. Versez de l'eau, ou mieux, du bouillon, juste assez pour couvrir les petit pois. Couvrez et faites cuire à feu doux jusqu'à ce que les petits pois soient cuits (30 à 45 minutes suivant la qualité des pois). Goûtez et salez si nécessaire.

Purée de petits pois

• 3 kg de petits pois frais dans leurs gousses
• 2 cuil. à soupe de graisse d'oie
• 3 petits oignons frais
• 1 laitue
• sel, poivre

Faites cuire les petits pois comme ci-dessus, mais sans jambon. Quand ils sont cuits, passez-les au moulin à légumes. Ajoutez le reste de la graisse d'oie ou de la crème fraîche.
Réchauffez et servez avec viande grillée ou rôtie ou des saucisses

Peas

3 kg fresh peas (in
their pods)
1 tblsp goose fat
3 small spring
onions
100 g cured ham
1 lettuce

Pod the peas.
Warm the fat in a casserole. Throw in the peas, chopped ham and onions. No salt (ham is salty enough). Toss. The peas will lose their water and stay green.
Add the lettuce. Toss a bit more. Pour in water or better bouillon, until just covered. Cover. Cook on low heat until soft. Taste and add salt if needed.

———

Puréed peas

3 kg fresh peas
(in their pods)
2 tblsp goose fat
3 small spring
onions
1 lettuce
salt, pepper

Cook the peas as above, no ham.
When ready, purée in a food processor.
Return the purée to the pan. Add 1 tblsp goose fat or 1 cup of cream. Warm up and serve with any roasted meat or sausages

If your peas are getting a bit too big, try this dish.

Purée d'oseille aux œufs durs

- 500 g environ de feuilles d'oseille
- 1 cuil. à soupe de graisse d'oie
- 1 cuil. à soupe de farine
- 1 tasse de bouillon
- 2 ou 3 brins de persil
- 1 brin de cerfeuil
- 6 œufs (ou plus)
- sel, poivre

Nettoyez les feuilles d'oseille. Blanchissez-les une minute à l'eau bouillante. Egouttez bien. Faites fondre la graisse dans une cocotte. Faites revenir l'oseille. Quand elle est bien réduite, liez avec la farine. Salez, poivrez et mouillez avec le bouillon. Ajoutez le persil et le cerfeuil hachés. Laissez cuire 20 à 25 minutes.

Faites durcir les œufs (10 minutes). Coupez les en 2 et disposez-les sur le plat d'oseille.

Vous pouvez aussi faire frire les œufs ou faire 6 petites omelettes. On peut aussi remplacer l'oseille par des épinards.

Puréed of sorrel with eggs

500 g sorrel
1 tblsp goose fat
1 tblsp flour
1 cup stock
2 or 3 sprigs of
parsley
1 sprig chevil
5 eggs (or more)
salt, pepper

Clean and wash the sorrel. Blanch it for one minute in boiling water. Drain well. Melt the fat in a casserole, brown the sorrel for a few minutes. Sprinkle the flour, stir and add the bouillon. Add salt, pepper and the chopped herbs. Cook for 20 to 25 minutes. Hard boil the eggs (10 minutes). Shell and cut them in half. Arrange on the top of the sorrel in the serving dish.

You could also fry the eggs or make one or two small egg omelettes. You could also replace the sorrel with spinach.

———

Bettes en sauce blanche

- 1 kg de bettes (ou blettes)
- 1 cuil. à soupe de graisse d'oie
- 1 cuil. à soupe de farine
- 1 oignon
- 4 épices
- 1 bouquet garni
- 1 œuf
- croûtons
- sel, poivre

Coupez les côtes à la base du pied et là où commencent les feuilles. Enlevez les fils, lavez-les et coupez-les en petits carrés. Faites-les cuire à l'eau bouillante salée jusqu'à ce qu'elle soient tendres. Pendant ce temps, préparez une sauce blanche. Faites fondre la graisse dans une casserole, jetez-y la farine et les oignons, mélangez bien et mouillez avec 1 verre d'eau tiède. Salez, poivrez, ajoutez un soupçon de 4 épices et le bouquet garni et laissez cuire 20 minutes.

Ajoutez les carrés de bettes bien égouttés et laissez cuire encore 5 minutes. Liez avec le jaune d'œuf.

Faites frire les croûtons que vous arrangez autour des bettes sur le plat de service

Chard in a white sauce

kg chard
tblsp goose fat
tblsp flour
onion
ll spices
bouquet garni
egg
slices of stale
ead.
alt, pepper

Cut the stems of the chard at the foot of the plant. Trim the green leaves from the stems. Peel the strings away from the length of the stems. Wash and clean and cut the stems into small squares. Boil in salted water until soft. Drain well.

Prepare a white sauce. Melt the fat in a pan, throw in the flour and the chopped onion. Stir. Add a glass of warm water. Mix. Season with salt, pepper, a pinch of all spice, bouquet garni. Cook for 20 minutes. Throw in the cooked pieces of chard. Leave for another 5 minutes. Mix in the egg yoke.

prepare the croutons. Cut the bread in small pieces and fry them in a little oil. Arrange them around the chard in the serving dish.

Viandes et poissons

Truites au gril

- 6 petites truites
- 1 citron ou du verjus
- huile de noix ou d'olive
- sel, poivre

Pour la sauce :
- 1/2 verre d'huile de noix
- 1 verre de vin blanc sec
- 1/2 verre d'eau
- sel, poivre
- 1 bouquet garni avec du basilic,
- 1 pincée de 4 épices.

Videz les truites par les branchies. Lavez, séchez, salez et poivrez les truites. Préparez 6 morceaux de papier sulfurisé. Badigeonnez les truites d'huile. Enveloppez chaque truite dans le papier. Mettez les paquets sur le grill d'un barbecue ou sur les braises dans la cheminée 5 minutes de chaque côté. Ouvrez les paquets et arrosez de quelques gouttes de citron ou de verjus. Mangez avec du beurre et des pommes de terre bouillies ou avec une petite sauce préparée ainsi : dans une casserole, versez l'huile de noix, le vin blanc sec, l'eau, du sel, du poivre, le bouquet garni avec du basilic, une pincée de 4 épices. Laissez frémir pendant 45 minutes. Mangez chaud ou froid avec les truites.

Grilled trout

6 small trout
lemon or verjus
(green grape juice)
olive or walnut oil
salt, pepper

sauce :
1/2 glass walnut
1 glass dry white
wine
1/2 glass water
salt, pepper
1 bouquet garni
(thyme, laurel,
parsley, basil)
1 pinch of all spice.

Remove the insides of the trout through the gills. Wash and dry. Salt and pepper the trout. Prepare 6 pieces of grease proof paper. Brush both sides of the fish with the oil.
Roll the trout in the paper. Prepare a barbecue or use your fireplace.
Place the paper rolled trout onto a grill over glowing embers or charcoal.
After 5 minutes, turn over. Leave another 5 minutes. Open the paper parcels, sprinkle lemon juice or verjus.
Serve with boiled potatoes and butter or with a sauce cooked very slowly for 45 minutes into a pan. You could also try serving this dish chilled.

Fish was mainly fresh water fished in the local rivers. There is now so little wild fish left that you will probably never see any. So I have kept only trout recipes.

Morue du Vendredi saint

- 500 g de morue salée
- 1 kg de pommes de terre
- 2 cuil. à soupe d'huile de noix
- 4 cuil. à soupe d'huile neutre (par exemple tournesol)
- 2 cuil. à soupe de vinaigre de vin
- 5 cornichons
- quelques brins de persil
- quelques brins de ciboulette
- 1 gousse d'ail
- 1 petit oignon (frais si possible)
- poivre

La veille, mettez la morue à dessaler dans de l'eau fraîche. Changer l'eau plusieurs fois.

Le jour même, faites cuire les pommes de terre avec leur peau. Pelez-les et coupez-les en tranches pendant qu'elles sont chaudes. Ajoutez du poivre, l'huile et le vinaigre (mais pas de sel, car la morue est souvent encore assez salée). Hachez finement le cornichons, les herbes, l'ail et l'oignon. Mélangez bien avec les pommes de terre.

Pochez la morue. Mettez la morue dans l'eau froide. Faites chauffer l'eau très lentement. Elle ne doit pas bouillir. Éteignez le feu et laissez la morue dans l'eau chaude encore 15 minutes. Égouttez et vérifiez qu'il n'y a pas d'arêtes. Mélangez aux pommes de terre. Le plat doit être tiède.

Good Friday cod

00 g salted cod
kg potatoes
tblsp walnut oil
tblsp neutral oil
ch as sunflower
tblsp wine
negar
gherkins
few sprigs parsley
few sprigs chive
clove garlic
small onion
esh if possible)
epper

The day before, put the cod in fresh water to desalt it. Change the water often, at least 3 or 4 times. Today, you could probably find cod ready to use.

On the day, boil the potatoes, peel and slice them, add pepper (but no salt as the cod is salty enough), oil and vinegar while still warm.

Chop the herbs, onion, garlic, gherkins very finely. Add to the potatoes.

Toss well. Poach the desalted cod in cold water. Bring very slowly to just under the boiling point. Leave for 15 minutes in the hot water. Do not boil, otherwise the cod will be hard and tasteless. Drain and debone the fish. Add to the potatoes. Make sure the dish is warm enough and serve.

On Good Friday, you were not allowed anything meaty or fatty, so cod was on the classic lunch table.

Morue à la tomate

- 500 g de morue salée
- 6 petites pommes de terres
- 6 tomates bien mûres
- 1 oignon
- 1 cuil. à soupe de graisse d'oie
- 1 cuil. à soupe d'huile neutre
- 1 gousse d'ail
- 1 bouquet garni
- 3 tranches de pain rassis

La veille, mettez la morue à dessaler dans de l'eau fraîche. Changer l'eau plusieurs fois.

Le jour même, pochez la morue. Mettez la morue dans l'eau froide. Faites chauffer l'eau très lentement. Elle ne doit pas bouillir. Éteignez le feu et laissez la morue dans l'eau chaude encore 15 minutes. Egouttez et vérifiez qu'il n'y a pas d'arêtes. Faites la sauce tomate comme expliqué au chapitre «sauces» p. 10, mais ne salez pas. Faites cuire les pommes de terre à l'eau ou à la vapeur. Coupez le pain en morceaux d'environ 2 cm. Faites revenir ces morceaux dans l'huile. Réchauffez la morue dans la sauce tomate, mais ne laissez pas bouillir. Versez dans un plat chaud. Entourez le poisson avec les pommes de terre et les croûtons.

———

Cod in tomato sauce

Ingredients:
- 00 g salted cod
- small potatoes
- ripe tomatoes
- onion
- tblsp goose fat
- tblsp oil
- clove garlic
- bouquet garni (arsley, thyme, urel)
- slices of stale ead

The day before, put the cod in fresh water to desalt it. Change the water often, at least 3 or 4 times. Today, you could probably find cod ready to use.

On the day, poach the desalted cod in cold water. Bring very slowly to just under the boiling point. Leave for 15 minutes in the hot water. Do not boil, otherwise the cod will be hard and tasteless. Drain and debone the fish.

Make the tomato sauce as explained p. 10 «Sauces» without salt.

Boil or steam the potatoes. Cut the bread into 1 in. pieces.

Brown the bread pieces in oil to make croutons. Warm up the cod in the tomato sauce. Do not boil.

Serve in a hot dish. Surround the fish with potatoes and croutons

Cod was the only sea fish found in the country because it was preserved in salt.

Confit d'oie ou de canard

• 3 morceaux de confit d'oie ou 6 de canard

Enlevez à froid autant de graisse que possible (gardez-la pour faire des pommes de terre sarladaises).

Mettez les morceaux de confit dans un plat métallique allant au four, côté peau vers le fond. Couvrez de papier aluminium.

Allumez le four th. 4 (180 ° C) et enfournez le plat pendant environ 20 minutes.

Sortez le plat du four, enlevez la graisse fondue et faites dorer la peau en mettant le plat sur la plaque de la cuisinière.

Servez avec des pommes de terre sarladaises et une salade verte.

Preserved goose or duck

3 pieces of
preserved (confit)
goose or 6 of duck

Scrape off the fat as much as possible (keep it for pommes de terre à la sarladaise)

Put the poultry pieces in a baking tin skin side down.

Cover with foil and bake at mark 4 (180° C) for about 20 minutes.

Remove from oven, drain off the fat and brown the skins a little by putting the baking dish directly to the flame.

Serve with pommes de terre sarladaises and / or a green salad

You can buy these dishes in tins or at the market

———

Mique sarladaise

- 1,5 kg de petit salé
- 2,5 litres d'eau
- 1 chou vert
- 6 carottes
- 6 poireaux
- 6 navets
- 6 pommes de terre moyennes
- 2 oignons
- 150 g de lard blanc
- 3 œufs
- 250 g de pain de campagne rassis
- farine
- 1 bouquet garni
- sel, poivre

Si le petit salé est très salé, mettez le à dessaler dans l'eau froide dès la veille.

Enlevez les grosses côtes du chou, coupez le en 8 et blanchissez-le pendant 15 minutes. Egouttez.

Faites bouillir l'eau dans une grande marmite, mettez le porc, les oignons, le bouquet garni et le chou. Faites cuire à feu doux pendant 1 heure.

Pendant ce temps, préparez le mique.

Coupez le pain en petits carrés. Mettez-les dans un saladier, versez dessus un peu de bouillon pour que le pain soit bien mouillé. Coupez le lard en tout petits morceaux. Mélangez avec le pain. Battez les œufs et versez-les dans le saladier. Mélangez bien.

Saupoudrez d'un peu de farine. Mélangez. Continuez à ajouter la farine par petits quantités jusqu'à ce que vous ayez une boule souple de la taille d'un ballon de rugby et qui se tient bien. Mettez le moins de farine possible pour avoir une mique légère. C'est la difficulté: il faut assez de farine pour que la boule se tienne, mais pas trop pour qu'elle ne soit pas dure.

Country cabbage soup with meat and dumplings

,5 kg lean salted
rk
,5 litres water
 carrots
 turnips
 average size
tatoes
 leaks
 cabbage
 onions
50 g lard (white
tty bacon)
50 g stale country
ead
 eggs
 tblsp flour
 bouquet garni
lt, pepper

The salted pork is sometimes really salted.
In this case, the night before, put it in a big
pot of cold water and let it stand.
Cut the cabbage into 8 pieces, remove the thic-
kest stems and boil for 15 minutes. Drain Put
water, onions, bouquet garni and pork in a
large pan. Bring to the boil. Add cabbage
and simmer for 1 hour
Prepare the mique. Cut the bread into small
squares. Place the small pieces in a bowl.
Soak with a little broth. Depending on the
quality of the bread, the amount of liquid va-
ries. The bread must be moist, but not dripping wet. Cut the lard in small pieces and
add to the bread. Mix well.
Beat the eggs and add to the mixture. Mix well.
Now comes the difficult part : you must add
enough flour to make a soft dough, but not too

Mettez les carottes et les navets pelés dans la marmite ainsi que les blancs de poireaux attachés en botte. Poivrez. Faites cuire les pommes de terre à part dans un peu de bouillon. Faites frémir la marmite.

Faites glisser doucement la mique à la surface du bouillon. Laissez cuire 1 heure à tout petit feu. Vérifiez l'assaisonnement en sel et ajoutez-en si nécessaire.

Pour servir, sortez doucement la mique de la marmite et tranchez-la. Servez le bouillon dans des bols, la viande et les légumes avec les tranches de mique, de la moutarde, des cornichons, du gros sel, du beurre.

S'il reste de la mique (ce qui est rare), faites la rissoler dans la graisse d'oie et mangez-la avec une salade.

_____

much, otherwise the mique will be hard. Start one spoonful at a time. Shape the dough like a small rugby ball. Sprinkle lightly with flour. Add all the vegetables, except the potatoes which will cook in a separate pan with a little broth (if you put the potatoes in the main pan, the broth loses its transparency). Add pepper. Bring to a gentle boil.

Slip the mique gently from the bowl into the simmering broil. Cover and simmer for an hour. Taste to check wether the broth is salted enough. To serve, fish the mique out of the pan. Slice it. Put meat, sliced mique and vegetables in a big warm dish. Pour the broth into bowls or mugs.

Serve very hot with mustard, sea salt, butter and gherkins. If some of the mique is not eaten entirely, (but it rarely happens) fry the leftover slices in a little goose fat and eat with a green salad.

This dish is a specialty of the city of Sarlat. The soup and meat part is a common country dish. What makes this dish special is the mique, a kind of dumpling that cooks in the broth.

Poulet rôti à la farce jaune

- 1 poulet de 2 kg
- 1 tranche de pain de campagne
- 1 gousse d'ail
- 2 cuil. à soupe de graisse d'oie
- quelques brins de persil
- sel

Préchauffez le four th. 7 (220° C)

Frottez le pain avec l'ail. En farcir le poulet.

Tartinez le poulet de graisse. Ficelez-le et mettez-le dans un plat à rôtir.

Mettez au four pendant 15 minutes. Baissez le feu à th. 4 (180° C)

Arrosez le poulet de temps en temps. Salez.

Un poulet de 2 kg sera cuit en une heure et quart.

Quand il est prêt, mettez le poulet sur un plat et apportez-le à table.

Pendant ce temps, mettez le plat à rôtir sur le feu. Ajoutez un peu d'eau et déglacez le jus coagulé au fond. Versez ce jus dans une saucière. Vous pouvez aussi en laisser un peu au fond du plat et y faire rissoler des légumes cuits (navets, haricots, céleri, cèpes, etc.) pendant quelques minutes.

Dans ma famille le poulet est découpé par le père de famille ou l'aîné des garçons.

Roast chicken

big free range
icken
slice country
ead
clove garlic
tblsp goose or
ck fat
few sprigs parsley
alt

Preheat oven gas mark 7 (210° C).

Rub the bread with the garlic. Stuff the chicken with it. Add salt. Truss the bird.

Rub the skin with the fat. Place in the roasting tin.

Allow the chicken to brown for 15 minutes. Lower the heat to mark 4 (180° C).

From time to time, baste the skin with the melted fat. A 4 lb. chicken will need about 1 hour and 15 minutes. When ready, place the chicken on a warm dish ready to be carved. remove the garlic bread.

Put the tin on the stove. Add a little water. Scrape the coagulated roasting juices. You can then pour all the sauce in a gravy boat. You can also keep some in the pan and sauté any cooked vegetables (parsnips, beans, celery, cepes) in the sauce for a few minutes.

In this part of France, roast chicken is always stuffed.

In our family, carving is done at the table by the father or the oldest boy.

Poulet rôti aux châtaignes

- 1 poulet de 2 kg ou 1 pintade ou 1 dinde
- 1 tranche épaisse de pain de campagne
- 1 gousse d'ail
- quelques brins de persil
- 150 g de chair à saucisse
- 100 g de lard
- 100 g de foie de veau ou d'agneau + le foie du poulet
- 1 œuf
- lait
- 500 g de châtaignes
- sel, poivre

Pelez et faites blanchir les châtaignes jusqu'à ce qu'elles soient à demi cuites. Enlevez les peaux blanches.

Préparez la farce. Mouillez la mie du pain avec le lait. Hachez tous les ingrédients, salez et poivrez. Mélangez bien. Ajoutez quelques châtaignes écrasées. Farcissez le poulet avec cette farce. Recousez-le et attachez-le.

Mettez les reste des châtaignes dans le plat.

Chauffez le four th. 7 (220° C)

Tartinez le poulet de graisse. Ficelez-le et mettez-le dans un plat à rôtir.

Mettez au four pendant 15 minutes. Baissez le feu à th.4 (180° C)

Arrosez le poulet de temps en temps. Salez.

Un poulet de 2 kg sera cuit en une heure et quart.

Quand il est cuit, mettez le poulet sur le plat de service, sortez la farce et entourez de châtaignes.

Roast chicken with chestnut stuffing

1 big free range
chicken or 1 turkey
v 1 guinea fowl
bread crumbs from
1 thick slice of stale
bread
2 tblsp goose or
duck fat
a few sprigs parsley
1/3 lb sausage
meat
1 slice fatty bacon
2 oz veal or lamb
liver + chicken liver
1 egg
a little milk
500 g chestnuts
salt, pepper

Peel and blanch the chestnuts until half cooked. Prepare the stuffing. Soak the bread crumb in the milk. Mince bacon and liver. Add egg, bread, chopped parsley, salt, pepper. Mix carefully. Add 5 or 6 crushed chestnuts. Preheat oven at mark 7 (220° C). Stuff the chicken. Truss the bird.
Rub the skin with the fat. Place in the roasting tin.
Allow the chicken to brown for 15 minutes. Lower the heat to mark 4 (180° C).
Add the rest of the chestnuts into the tin
From time to time, baste the skin with the melted fat.
A 2 kg chicken will need about 1 hour and 15 minutes. When ready, place the chicken on a warm dish ready to be carved. Empty the stuffing in a bowl. Place the chestnuts on another dish or around the chicken. Bring everything to the table.

101

Poulet sauté aux légumes de printemps

- 1 poulet de 1,5 kg
- hachis
- 6 jeunes carottes
- 6 petits artichauts
- 6 petits oignons frais
- 6 jeunes navets
- 6 petites pommes de terre nouvelles
- 2 cuil. à soupe de graisse d'oie
- sel, poivre

Découpez le poulet en 6 ou 8 morceaux.

Faites fondre la moitié de la graisse dans une cocotte. Faites-y dorer les morceaux de poulet sur toutes leurs faces. Baissez le feu, ajoutez le hachis (voir p. 8), salez, poivrez et laissez cuire à feu doux sans couvrir.

Préparez les légumes : les artichauts comme expliqué dans le chapitre des légumes, les autres simplement pelés. Faites les rissoler quelques minutes dans une poêle avec le reste de la graisse. Gardez au chaud.

Quand le poulet est à moitié cuit, ajoutez les légumes sautés dans la cocotte, salez et poivrez.

Servez le poulet sur un plat chaud entouré de ses légumes.

Sautéed chicken with spring vegetables

1,5 kg frying
chicken
some hachis
2 tblsp goose fat
6 small new
potatoes
6 small artichokes
6 new turnips
6 new small
carrots
6 spring onions
salt, pepper

Cut up the chicken in 6 to 8 pieces. Melt 1 tblsp of fat in a casserole. Add the chicken pieces. Brown until golden on one side, then the other. Lower the heat, add the hachis (p. 8), salt and pepper and cook slowly uncovered.

Prepare the vegetables: artichokes as explained in the vegetables section, the rest just peeled.

In a frying pan, melt the rest of the fat and sauté the vegetables in turn. Keep in a warm dish.

When the chicken is half cooked, add the vegetables, salt, pepper.

Serve the chicken on a warm dish surrounded by a crown of the vegetables.

———

Poule au pot

- 1 poule
- farci
- 6 carottes
- 6 poireaux
- 1 gros oignon
- 6 navets
- 6 pommes de terre
- 2 cuil. à soupe de graisse d'oie
- 1 clou de girofle
- 1 bouquet garni

Salez et poivrez l'intérieur de la poule. Remplissez la cavité avec le farci (voir p. 8). Cousez l'ouverture.

Faites bouillir assez d'eau pour contenir la poule et les légumes. Piquez le clou de girofle dans l'oignon. Mettez la poule dans l'eau bouillante avec l'oignon, le bouquet garni et le vert des poireaux.

Pelez les légumes, attachez les poireaux en bottes. 1 heure avant de servir mettez carrottes, poireaux et navets dans la bouillon. Faites cuire les pommes de terre à part dans un peu de bouillon.

Vous servez d'abord le bouillon, puis la poule découpée avec son farci et les légumes.

Accompagnez de moutarde, cornichons, gros sel et même de sauce tomate.

———

Boiled fowl with vegetables

1 old chicken (boiling fowl)
some farci (see ingredients and recipe above)
2 tblsp goose or duck fat
6 carrots
6 leaks
6 turnips
6 potatoes
1 big onion
1 clove
1 bouquet garni

Stuff the chicken with the farci (p. 8). Add salt. Truss the bird.

Boil enough water to hold the bird and the vegetables. Add the onion stuck with the clove, the green part of the leaks and the bouquet garni. Place the bird in the water and boil for 3 hours

Clean and peel the vegetables. Tie the white part of the leaks leaks whites together with a piece of string.

An hour before serving, add the vegetables to the pot except the potatoes.

Cook the potatoes separately in a saucepan in which you will have poured 1/2 pint of the cooking stock.

You first serve the bouillon, then the chicken; the stuffing and the vegetables. Would be good to offer with this dish mustard, coarse salt, gherkins and even some tomato sauce.

Enchaud périgourdin

- 1 kg de filet de porc
- 3 gousses d'ail
- 3 cuil. à soupe de graisse d'oie ou de porc
- sel, poivre

Faites désosser le filet par votre boucher. Étalez-le salez, poivrez, mettez les gousses d'ail. Roulez-le, ficelez-le et mettez-le au frais jusqu'au lendemain. Faites fondre la graisse dans une cocotte, faites dorer la viande sur toutes ses faces, couvrez, baissez le feu et faites cuire lentement pendant deux heures et demie.

Vous pouvez manger l'enchaud chaud avec des pommes de terre bouillies, mais c'est bien meilleur froid.

Vous pouvez aussi le conserver comme un confit. En ce cas, filtrez la graisse de cuisson, mettez la viande dans une toupine et couvrez-la avec sa graisse. La viande doit être couverte. S'il n'y a pas assez de graisse, complétez avec de la graisse d'oie ou du saindoux.

Si des visiteurs débarquent à l'improviste, vous sortez l'enchaud de sa graisse, vous le tranchez et vous le mangez avec une salade verte. Un repas improvisé mémorable.

Preserved pork chump end

1 kg loin of pork
(chump end)
3 cloves garlic
3 tblsp pork or goose
fat
salt, pepper

Ask your butcher to bone the meat.
Flatten it. Dress with garlic and pepper.
Roll up and tie with kitchen string.
Leave in the refrigerator until next day.
Warm the fat in a thick pan, brown, cover
and cook on very slow heat for 2 and a half
hours.
You can eat it hot with steamed potatoes, but,
despite its name, it is much better eaten cold.
You can also preserve it. In this case, filter the
fat and cover your warm enchaud with the fat
in a pot. Make sure the meat is covered.
If some unexpected visitors drop in, take the
enchaud out of the fat, slice it and eat with a
green salad. A delicious improvised meal.

_____

Côtelettes de porc au céleri

- 6 côtelettes de porc
- 2 cuil. à soupe de saindoux ou d'huile
- 2 têtes de céleri sans fils
- 1 gros oignon ou 2 petits
- 1 cuil. à soupe de farine
- 1 bouquet garni
- 1 tomate ou 2 cuil. à soupe de sauce tomate
- sel, poivre

Dans une poêle, faites fondre la moitié de la graisse. Dorez les côtelettes de chaque côté. Salez et poivrez. Couvrez et laissez cuire sur feu doux environ 25 minutes.

Pendant ce temps, préparez le céleri. Coupez la base. Coupez les branches à mi-hauteur, puis en 3 morceaux. Lavez-les bien et blanchissez-les à l'eau bouillante salée jusqu'à ce qu'ils soient tendres.

Préparez un roux : hachez les oignons et faites les revenir dans le reste de la graisse. Saupoudrez de farine et laissez roussir. Mouillez avec un verre d'eau ou, mieux, de bouillon si vous en avez. Ajoutez le bouquet garni et la tomate pelée et épépinée ou la sauce tomate. Salez, poivrez et laissez cuire tout doucement pendant 20 minutes.

Ajoutez les morceaux de céleri cuit dans la sauce et servez ce ragoût avec les côtelettes.

Pork chops with celery

5 pork chops
2 tblsp pork fat,
lard or cooking oil
2 heads of tender,
stringless celery
1 big or 2 small
onions
1 tblsp flour
1 bouquet garni
1 tomato or 2 tblsp
tomato purée
salt, pepper

Melt half the fat in a frying pan. Brown the pork shops in the fat. Season the chops. Cover and cook on low heat until cooked (about 25 minutes).

Trim the celery roots and cut off the tops. Keep about 7 inches of the stems. Cut each stem into 3 pieces. Wash carefully and blanch in boiling water until tender.

Prepare a roux : chop the onions and brown them in a little fat. Sprinkle the flour. Stir. When nut brown moisten with 1 glass of water, or even better use stock if you have some. Add the bouquet garni and the tomato sauce or peeled chopped tomato. Add salt and pepper and simmer on low heat for 20 minutes. Add the cooked celery until warmed. Serve the chops with the celery ragoût.

Gigot au panaché de haricots

- 1 gigot d'agneau
- 500 g de haricots verts
- 1 kg de haricots blancs frais ou 500 g de haricots secs
- 100 g de lard
- 1 bouquet de persil
- 1 gousse d'ail
- sel, poivre

Faites cuire les haricots blancs comme d'habitude avec le hachis (voir p. 8).

Préchauffer le four à th. 8 (230° C).

Préparez le gigot. Frottez-le à l'huile sur toutes ses faces. mettez-le dans un plat à four. Enfournez en haut du four. Arrosez et tournez toutes les 5 minutes pendant un quart d'heure. Salez et poivrez. Baissez la température du four à th. 5 (190° C).

Si vous l'aimez rose comme nous, comptez 10 minutes par livre. Si vous l'aimez bien cuit, comptez 15 minutes.

Faite cuire les haricots verts dans une grande quantité d'eau salée. Ne couvrez pas si vous les voulez bien verts.

Quand le gigot est cuit, enveloppez-le dans du papier alu, déposez-le dans un plat et laissez-le dans le four, porte entr'ouverte pendant que vous préparez les légumes et la sauce.

Mettez le plat de cuisson sur le feu. Versez un

Roast leg of lamb with various beans

1 leg of lamb
500 g french beans
1 kg fresh haricot
ans or 500 g dried
aricot or beans
2 slices fat bacon
1 bunch parsley
1 clove garlic
alt, pepper

Cook the haricot or kidney beans the usual way (see below in the vegetable section) with a hachis (p. 8).

Preheat the oven gas mark 8 (230° C)

Prepare the lamb. Brush with oil. Place in a baking dish and in the upper part of the oven. Turn and baste every 5 minutes to 15 minutes. Season with salt and pepper.

Lower the heat to gaz mark 5 (190° C).

If you like it medium rare, as we do, count 10 minutes per pound. If you like it well done, add 15 minutes to the cooking time.

Cook the French beans in plenty of boiling salted water (do not cover if you want green beans)

When the meat is cooked, wrap it in aluminium foil and place it in a warm dish. Switch off the oven. Place the dish in it while you prepare sauce and vegetables. Keep the door ajar.

verre d'eau chaude. Grattez bien le fond du plat.
Versez ce jus dans une saucière chaude ainsi que
le jus qui s'écoulera pendant le découpage de la
viande.

Mettez les deux sortes de haricots (le panaché)
dans un plat et servez le tout bien chaud.

Escalopes de veau aux échalotes

- 6 escalopes de veau
- 6 échalotes
- 1 cuil. à soupe de graisse d'oie
- quelques gouttes de verjus ou de citron

Dans une poêle, faites dorer les escalopes dans la
graisse. Baissez le feu et finissez la cuisson.
Hachez finement les échalotes.
Enlevez les escalopes de la poêle et gardez-les au
chaud. A leur place faites revenir les échalotes à
feu très doux, elles ne doivent pas brûler.
Couvrez les escalopes avec les échalotes. Versez le
verjus ou le jus de citron et servez bien chaud.
Tous les légumes vont bien avec ce plat.

Place the baking dish on the stove, pour in over glass of hot water. Scrape the coagulated roasting juices. Pour into a warm sauce boat adding the juices which will escape from the meat during carving. In our house, carving is done at table by the father or oldest boy. Place the hot bean mix (the panaché) in a dish and serve everything together.

Veal scallops with shallots

6 veal scallops (topside)
6 shallots
1 tblsp goose fat
a few drops of verjus or lemon

Brown the scallops in the fat in a frying pan. Lower the heat and finish cooking. Chop the shallots thinly.
Remove the scallops and keep them warm in the serving dish.
In the cooking fat, brown the shallots very slowly, they must not burn. Pour the shallots on top of the meat. Add the verjus or lemon and serve with your favourite vegetable.

Épaule d'agneau au four

- 1 épaule d'agneau non désossée
- 1 cuil. à café de thym
- 1 feuille de laurier
- 1 cuil. à café de romarin
- 1 gousse d'ail
- 1 kg de pommes de terre
- sel, poivre

Préchauffez le four th. 8 (230° C).

Pelez et tranchez les pommes de terre. Bassinez un plat à rôtir (de préférence en porcelaine ou en terre) avec l'ail. Mettez-y les tranches de pommes de terre. Placez l'épaule sur le dessus du plat, si possible sur une grille afin que la viande cuise sans toucher les pommes de terre. Saupoudrez les herbes. Salez et poivrez.

Enfournez. Après un quart d'heure baissez la température du four à th. 5 (190° C).

Si vous aimez la viande rosée, 10 minutes par livre, si vous la préférez bien cuite, 15 minutes par livre.

Découpez l'épaule, remettez les morceaux sur les pommes de terre et servez. Vous pouvez essayer de verser sur la viande un jus de citron ou du verjus.

Roasted shoulder of lamb with potatoes

1 shoulder of lamb
(bone in)
1 tsp thyme
1 bay leaf
1 tsp rosemary
1 clove garlic
1 kg potatoes
salt, pepper

Preheat oven gaz mark 8 (230° C).
Peel and slice the potatoes. Baste a baking dish (preferably porcelain or pottery) with garlic. Put in the sliced potatoes slices.
Place the shoulder on top, if possible on a grid, so the meat does not touch the potatoes. Sprinkle herbs, salt, pepper.
Do not add any fat, the meat has enough of its own. Place in the oven.
After 15 minutes, lower the heat to mark 5 (190° C).
If you like your meat pink, medium rare, leave it 10 minutes per pound.
If you like it well done, 15 minutes per pound.
Carve the meat and put it back on top the potatoes to serve. You can try pouring lemon juice or verjus on top of the meat.

Filet de bœuf sauce Périgueux

- 1 filet de bœuf d'1,5 kg
- sauce Périgueux (voir plus haut)

Préparez le sauce Périgueux comme expliqué p. 12.

Préchauffez le four th. 8 (230° C).

Enveloppez le filet dans des bardes de lard. Ficelez pas trop serré.

Mettez au four 10 minutes par livre (ou plus si vous aimez le bœuf bien cuit, mais quel dommage !).

Ajoutez le jus de la viande dans la sauce chaude.

Versez dans une saucière. Découpez la viande et servez avec la sauce et vos légumes préférés.

———

Fillet of beef sauce Périgueux

.5 kg fillet of beef
auce Périgueux
e above)

Prepare the sauce as explained on p. 12
Preheat oven to gaz mark 8 (230° C).
Wrat the fillet in bacon strips. Tie securely,
but not too tight.
Bake for 10 minutes per pound (or more if you
like the meat well done, but what a pity !).
Add the meat juice to the hot sauce and pour
into a sauce boat.
Slice the meat and serve on hot plates with
the sauce and your favourite vegetables.

This is a delicacy, for a special meal.

———————

Daube ou bœuf à la mode

- 1,5 kg d'aloyau ou de gîte de bœuf
- 2 gousses d'ail
- 2 bandes de lard gras
- 1 tranche épaisse de lard
- 1 poignée d'échalotes
- 1 pied de veau
- 12 petits oignons blancs
- 1 cuil. à soupe de graisse d'oie
- 1 cuil. à soupe d'huile
- 1/2 litre de bon vin rouge corsé (bergerac, cahors)
- 1 bouquet garni
- 2 clous de girofle
- 1/2 cuil. à café de muscade
- 1 kg de carottes
- sel, poivre

Piquez la viande avec l'ail et des petits morceaux de lard gras.

Mettez la graisse et l'huile dans une cocotte et faites revenir la viande sur toutes ses faces. Ajoutez les oignons et les échalotes épluchées. Hachez le lard et jetez le tout dans la cocotte. Versez le vin et quand il est chaud, flambez-le. Ajoutez un verre d'eau, le pied de veau, les épices, sel et poivre. Couvrez la cocotte et laissez mijoter très doucement le plus longtemps possible et au moins 4 heures.

2 heures avant de servir, pelez et coupez les carottes en tranches très fines, faites les revenir 5 minutes dans un peu de graisse et ajoutez-les dans la cocotte.

Dégraissez la sauce, enlevez le pied de veau, découpez la viande et servez avec des macaroni ou des pommes de terre bouillies.

Beef braised in red wine

.5 kg rump of
ef or blade bone or
side or silverside
cloves garlic
strips fresh pork

thick slice bacon
handful shallots
veal foot
2 small white
ions
tblsp goose fat
tblsp cooking oil
/2 litre red wine
th body (bergerac,
iors)
bouquet garni
cloves
/2 tsp nutmeg
kg carrots
lt, pepper

Lard the meat with the strips of pork (or have
it done by your butcher) and the garlic.
Put the fat and the oil in a casserole large
enough to hold all the ingredients, but not
bigger. Brown the meat on all sides.
Chop the bacon. Peel onions and shallots and
add them. Pour the wine and when it is warm,
flame it. Add a glass of water, the veal foot
(for jellifying the sauce), salt, pepper and
the herbs and spices.
Cover tightly. Simmer on very low heat for at
least 4 hours or more if time allows. 2 hours
before serving, slice the carrots thinly, brown
them lightly in a frying pan and add them
to the casserole.
Skim the sauce, slice the meat and serve with
macaroni or boiled potatoes.

*Ideal party dish as it can be made in advance and is as good
hot as cold.*

Daube au vin blanc

- 1,5 kg d'aloyau ou de gîte de bœuf
- 2 gousses d'ail
- 2 bandes de lard gras
- 1 tranche épaisse de lard
- 1 poignée d'échalotes
- 1 pied de veau
- 12 petits oignons blancs
- 1 cuil. à soupe de graisse d'oie
- 1 cuil. à soupe d'huile
- 1/2 litre de bon vin blanc
- 1 bouquet garni
- 2 clous de girofle
- 1/2 cuil. à café de muscade
- 1 kg de carottes
- sel, poivre

C'est la même recette que ci-dessus, mais vous remplacez le vin rouge par du vin blanc sec. Quand la daube est prête, découpez la viande et dégraissez le liquide de cuisson. Enlevez le pied de veau.

Prenez un grand saladier à fond arrondi. Disposez les carottes sur le fond et le long des parois. Installez la viande au milieu et versez le jus dégraissé. Mettez au frais pendant 4 à 6 heures. Pour servir vous pouvez laisser la daube dans son saladier mais vous pouvez aussi faire bien plus spectaculaire.

Mettez le saladier dans de l'eau chaude pendant quelques secondes, Passez un couteau entre la daube et les parois, recouvrez avec le plat de service et retournez le tout. Donnez un petit coup sec pour faire tomber la daube dans le plat et voilà un bien joli dôme rouge.

Décorez avec cresson, persil, laitue, tomates.

Beef braised in white wine, eaten cold

1,5 kg rump
beef or blade
ne or topside or
verside
2 cloves garlic
2 strips fresh
rk fat
thick slice
con
handful
allots
veal foot
2 small white
ions
tblsp goose fat
tblsp cooking
/2 litre white
ine
bouquet garni
cloves
/2 tsp nutmeg
kg carrots
alt, pepper

Same recipe as above, but replace red wine with dry white wine.

When the daube is ready, slice the meat, remove the veal foot and skim off the braising liquid.

Take a big bowl, line it with the carrots, arrange the meat in the bowl and pour in the skimmed liquid. Chill for 4 to 6 hours until well set.

When ready to serve, you can present the bowl as it is, but you can also present this dish in a more spectacular fashion.

Dip the bowl in hot water for a few seconds. Run a knife around the edge. Put the serving dish on top of the bowl, reverse, give a sharp jerk. You will get a pretty red dome.

Decorate with cress, parsley, lettuce, tomatoes.

Veau aux carottes ou daube de veau

- 1,5 kg de quasi de veau
- 1 pied de veau
- 1 cuil. à soupe de graisse d'oie
- 5 oignons
- 5 échalotes
- 3 couennes de porc
- 3 tomates
- 1 bouquet garni
- 1 cuil. à café de sucre
- 2 verres de vin blanc sec
- 1 verre à liqueur d'eau-de-vie
- 1,5 kg de carottes

Faites dorer la viande sur toutes ses faces dans la moitié de la graisse.

Garnissez la cocotte avec les couennes.

Placez la viande sur les couennes.

Hachez les oignons et les échalotes. Pelez et épépinez les tomates. Mettez-le tout dans la cocotte avec le bouquet garni. Versez le vin et l'eau-de-vie. Saupoudrez le veau avec le sucre. Ajoutez le pied de veau coupé en deux. Couvrez.

Laissez cuire à feu doux pendant 2 heures.

Pelez et coupez les carottes en tranches minces. Faites-les sauter dans le reste de graisse. Ajoutez-les dans la cocotte et laissez cuire encore 1 heure.

Vérifiez le jus qui doit être épais. Si nécessaire, ajoutez un peu d'eau.

Mettez la viande et les carottes dans un plat chaud. Enlevez le pied de veau et le bouquet et couvrez avec la sauce.

Veal stew with carrots

.5 kg veal in one
ce (chump end
loin)
veal foot
tblsp goose fat
onions
shallots
pieces of pork
d
tomatoes
bouquet garni
tsp sugar
glasses dry white
ne
small glass
ndy
.5 kg carrots

Brown the meat on both sides in half the fat until golden.

Cover the bottom of a thick casserole with the pork rind.

Place the meat on them.

Chop onions and shallots. Peel, seed and chop the tomatoes.

Put them in the casserole with bouquet garni, salt, pepper.

Pour in the wine. Spinkle the veal with the sugar.

Split the veal foot and add it. Cover.

Simmer on low heat for 2 hours.

Peel and slice the carrots. Fry them in the rest of the fat.

Add to the casserole for another hour.

Check the juice which should be thick.

If needed, add a little hot water.

To serve, place meat and carrots in a hot dish, remove bouquet and veal foot and pour the juice over the meat.

Veau aux champignons

- 1 morceau de noix de veau d'1 kg
- 1 cuil. à soupe de graisse d'oie
- 1 kg de cèpes
- 1/2 litre de bouillon (ou d'eau)
- 1 gousse d'ail
- quelques brins de persil
- sel, poivre

Nettoyez bien les cèpes, sans les laver si possible, pour ne pas les ramollir.

Faites dorer le veau dans la graisse.

Remplacez le veau par les champignons.

Faites-les revenir dans la même graisse.

Mettez veau et champignons dans une cocotte, salez, poivrez, versez le bouillon. Couvrez et laisser cuire sur feu doux jusqu'à ce que le bouillon soit complètement évaporé.

Hachez l'ail et le persil et ajoutez-les une demi-heure avant de servir.

Veau et champignons doivent être bien dorés.

———

Veal with mushrooms

1 kg veal roast
(opside)
1 tblsp goose fat
1 kg cepes
(mushrooms)
1 pt bouillon
(r water)
1 clove garlic
a few sprigs parsley
alt, pepper

Prepare the mushrooms. Clean them carefully. If possible, do this with cloth or paper towel. If you need to wash them, do not soak.

Brown the veal in the fat until golden.

Remove the meat and replace with the mushrooms. Brown them.

Put the meat back into the casserole. Add salt, pepper and the bouillon.

Cover and simmer on low heat until all the liquid has evaporated.

Chop garlic and parsley together and add 30 minutes before serving.

Roast and cèpes should be golden.

Desserts, gâteaux, confitures et vins

Beignets de fleurs d'acacia

- fleurs d'acacia
- 150 g de farine
- 2 œufs
- quelques cuil. à soupe d'eau (la quantité dépend de la farine)
- 1 pincée de sel
- 1 cuil. à soupe d'eau-de-vie
- huile de friture
- sucre en poudre

Préparez la pâte à beignets. Mélangez la farine, le sel, le jaune d'œuf, l'eau-de-vie et de l'eau jusqu'à la consistance d'une crème. Laissez reposer au moins une heure. Battez le blanc d'œuf en neige ferme. Incorporez au mélange.

Rincez les petites branches de fleur. Séchez-les. Faites chauffer l'huile dans une grande poêle ou une bassine à friture. Trempez les fleurs dans la pâte et faites les frire. Elles sont prêtes quand elles sont dorées. Saupoudrez de sucre et mangez les beignets tièdes.

———

Acacia flowers buns

Acacia flowers
250 g flour
2 eggs
a few tblsp water
(amount depends on
your flour)
1 pinch of salt
1 tblsp eau-de-vie
(brandy)
cooking oil
granulated sugar

Make the batter. Mix flour, 1 egg yoke, salt, brandy, water until creamy. Let the mixture rest for an hour. Beat the egg whites until fluffy. Fold into the mixture.
Rinse the little acacia flower sprigs.
Dry them on a tea towel or paper.
Warm the oil in a deep frying pan.
Dip the flowers in the batter one at a time and fry until golden.
Drizzle with sugar and serve warm.

These beignets are extremely subtle. But they can only be done during a very limited time, when the acacias are in bloom sometime in May or June.

Macarons de Bergerac

- 250 g d'amandes sans les coquilles ou de la poudre d'amandes
- 3 blancs d'œufs
- 250 g de sucre en poudre

Jetez les amandes dans l'eau bouillante pendant 2 minutes, puis enlevez la peau. Pilez les amandes au mortier ou dans le robot ménager avec un peu de sucre, ou utilisez directement de la poudre d'amandes. Incorporez un blanc d'œuf puis un autre.

Préparez un sirop. Versez le reste du sucre avec un peu d'eau dans une casserole à fond épais.

Faites cuire à feu vif jusqu'à ce que le sirop épaississe. Retirez du feu, joignez les amandes pilées au sirop et remettez à cuire à feu très doux. Quand le mélange commence à se colorer, retirez-le du feu.

Saupoudrez un peu de sucre sur la table, versez la pâte d'amandes. Quand elle a suffisamment refroidi, roulez-la en forme de saucisson d'environ 2 cm de diamètre. Coupez des tranches d'environ 1 cm d'épaisseur, faites-en des boules légèrement aplaties. Trempez vos doigts dans le blanc d'œuf restant pour ne pas coller. Arrangez les boules sur du papier sulfurisé. Allumez le four th. 2. Enfournez et laissez une vingtaine de minutes.

Macaroons of Bergerac

150 g almonds
egg whites
150 g caster sugar

Throw the almonds in boiling water. Dry and peel them. Crush them in a mortar with a little sugar (but you can also buy almond powder). Mix almonds and 1 egg white, then another. Prepare a syrup. Pour the rest of the sugar with a little water in a thick pan. Cook until the syrup starts thickening. Add the almond mixture and cook on very low heat.

As soon as it starts to colour, remove from heat. Drizzle a little sugar on the table, pour out the almond paste onto the table. When it has cooled enough, roll it into a kind of thick sausage (about one inch in diameter).

Cut this roll into 1/2 inch slices. Make slightly flattened balls with these slices. Use the remaining egg white to dampen your fingers, so they do not stick to the paste.

Arrange the balls on greaseproof paper and bake in a very slow oven gaz mark 2 (150° C) for 20 to 30 minutes.

Gâteau aux pommes au caramel

- 1 kg de pommes sucrées et craquantes
- 500 g de sucre en poudre
- 1 morceau de peau de citron ou d'orange

Pelez les pommes et coupez-les en quatre.

Dans un fait-tout, versez le sucre et humidifiez-le avec deux cuillères à soupe d'eau. Mettez à feu vif jusqu'à obtenir un caramel doré. Jetez immédiatement les pommes dans ce caramel. Secouez bien (mais n'utilisez pas de cuillère en bois, elle resterait collée dans le caramel) jusqu'à ce que toutes les pommes soient bien recouvertes de caramel. Ajoutez la peau de citron ou orange. Baissez le feu et faites cuire 20 à 30 minutes.

Les pommes sont dorées et confites. Versez dans un moule ou directement dans le plat de service. Mettez au frais et servez (après avoir retourné le moule sur un plat) avec de la crème anglaise ou de la crème fraîche ou de la glace.

Apple cake in caramel

1 kg apples sweet
and crisp (cox for
instance)
500 g caster sugar
1 orange or lemon
peel

Peel, core and cut the apples into 4 slices each.
In a large pan, pour the sugar and wet it with water. Boil the sugar until it turns into golden caramel.

Pour in the apples and the peel. Turn up the heat. Shake the pan (do not use a spoon), so all the apples are covered in caramel.

Then, lower the heat and cook for 20 to 30 minutes.

The apples will be golden and candied.

Spoon into a mould and chill until set.

Reverse the mould onto a serving dish and serve with custard, crème fraîche or ice cream.

This kind of Tatin without crust is my favourite dessert. It is always very popular with my guests.

Gâteau aux pommes

- 3 pommes
- 5 cuil. à soupe de sucre en poudre
- 5 cuil. à soupe de farine
- 2 œufs
- 1/2 paquet de levure
- 1 cuil. à soupe d'eau-de-vie, d'Armagnac ou de rhum

Pelez, épépinez et coupez les pommes en 8 morceaux. Mélangez tous les autres ingrédients. Versez sur les pommes. Touillez le tout.

Préchauffez le four th. 6 (200° C).

Dans un plat à gratin, faites un caramel doré avec 2 cuillères à soupe de sucre et une demi-cuillère à soupe d'eau. Videz le mélange dans le plat et enfournez pendant 30 minutes.

La cajasse de Sarlat

- 150 g de farine
- 2 cuil. à soupe de sucre
- 3 œufs
- 1 cuil. à soupe de rhum (ou tout autre alcool)
- 1 cuil. à soupe d'huile ou de beurre fondu
- 1 pincée de sel
- 1/2 litre de lait

Préchauffez le four th. 6 (200 ° C). Versez la farine dans un saladier. Battez les œufs et ajoutez-les à la farine ainsi que tous les autres ingrédients. Mélangez bien jusqu'à ce que la pâte soit lisse. Versez dans un moule à tarte et enfournez pour 30 minutes. Saupoudrez de sucre et régalez-vous du gâteau encore tiède

Apple cake

3 apples
5 tblsp caster sugar
5 tblsp flour
2 eggs
1/2 a packet yeast
1 tblsp brandy

Peel, seed and cut the apples into 8 pieces each. Mix all the other ingredients. Add the apples. Toss well. Preheat oven gaz mark 6 (200° C). In an oven proof dish, pour 2 tblsp sugar and wet it with water. Boil until the sugar turns into golden caramel. Pour in the mixture. Bake for 30 minutes.

Sarlat jiffy cake

150 g flour
2 tblsp sugar
3 eggs
1 tblsp rum (or any ther spirit)
1 tblsp oil or nelted butter
1 pinch salt
1/2 litre milk

Preheat the oven to gaz mark 6 (200° C). Pour the flour into a bowl or the blender. Beat the eggs and add them with all the other ingredients. Beat until the batter is smooth. Butter a pie tin. Pour the batter and bake for 30 minutes. When ready, drizzle with some sugar. Serve warm.

This is a kind of thick crêpe which you can make at the last minute when guests turn up unannounced.

Lou millassou

- 500 g de citrouille
- 200 g de farine de maïs
- 150 g de sucre en poudre
- 2 cuil. à soupe d'huile ou 75 g de beurre fondu
- 5 œufs
- 1/2 litre de lait
- 1 pincée de sel
- 2 cuil. à soupe de rhum ou 1 zeste de citron ou 1 gousse de vanille
- 1/2 paquet de levure

Pelez et coupez la citrouille en gros cubes. Faites-les bouillir dans de l'eau salée jusqu'à ce qu'elle soit tendre.

Préchauffez le four th. 6 (200° C). Égouttez la citrouille et passez-la à la moulinette (ou dans le robot). Mélangez cette purée avec le sucre, le sel, le beurre, les œufs, la farine, la levure et le parfum choisi. Ajoutez le lait peu à peu pour obtenir une pâte épaisse mais coulante. Versez dans un moule à manqué beurré et enfournez pour 30 minutes. Saupoudrez de sucre vanillé et régalez-vous.

Vous pouvez ajouter à la pâte 125 g de raisins de Corinthe trempés dans un peu de rhum ou votre alcool préféré.

Pumpkin and corn flour cake

500 g pumpkin
200 g corn (maize) flour
150 g caster sugar
2 tblsp oil or 3 oz butter (melted)
5 eggs
about 1/2 litre milk
1 pinch salt
2 tblsp rum or peel of one lemon or vanilla extract
1/2 packet baking powder

Peel and cut the pumpkin into big chunks.
Boil them in slightly salted water until soft.
Drain and puree.
Preheat the oven at gaz mark 6 (200° C).
Mix, or blend in a blender, this purée with sugar, salt, flour, butter, eggs, yeast and flavouring. Add some of the milk and blend until the batter is thick but flowing.
Butter an oven proof dish about 1,5 ins. deep.
Pour in the batter and bake for 30 minutes.
Drizzle with vanilla sugar and eat.

You can add 1/4 lb seedless raisins marinated in a little rum or brandy to the batter before cooking.

———————

Œufs à la neige au caramel

- 1 litre de lait
- 125 g de sucre en poudre + 100 g pour le caramel
- 6 œufs
- votre parfum favori : vanille, zeste de citron...

Dans une grande casserole, genre sauteuse, faites bouillir le lait avec le parfum choisi. Pendant ce temps, séparez les blancs des jaunes des œufs et montez les blancs en neige ferme. Baissez le feu et faites frémir le lait. Prenez des grosses cuillerées de blancs et pochez-les dans le lait deux minutes de chaque côté. Sortez-les «îles» délicatement avec une écumoire et déposez-les sur du papier absorbant. Filtrez le lait et faites la crème anglaise. Fouettez les jaunes avec le sucre jusqu'à ce qu'ils fassent le ruban, versez un peu de lait chaud, fouettez, puis le reste du lait et remettez le mélange dans la casserole sur feu doux. La crème de doit pas bouillir, sinon elle tourne. La température maximum est 85° C. Si cela arrive, mettez la crème dans une bouteille et secouez fort ou mettez-la dans le robot.

Versez la crème dans une jolie jatte, disposez dessus les «îles» de blanc d'œuf et mettez au frais.

Floating islands

1 litre milk
125 g granulated
sugar + 3 oz for the
caramel
6 eggs
you favourite
flavouring (vanilla,
lemon peel...)

In a wide saucepan (sauteuse), boil the milk with the flavour.

Separate eggs whites from yokes. Beat the whites until stiff peaks are formed.

Lower the heat under the milk which should just simmer. Take big spoonfuls of the stiff whites and poach them delicately in the milk. Leave 2 minutes. Turn over another 2 minutes. Remove and drain on kitchen paper. When all the whites are poached, filter the milk through a thin sieve. Make the crème anglaise (custard). Mix the yokes with the sugar until they form the ribbon. Pour over a little warm milk. Mix well. Continue to pour in the milk. Return the mixture to the pan, put on low heat and stir continuously until the sauce thickens just enough to coat the spoon. The sauce must not boil, not even simmer. Maximum temperature is 85° C, other wise it will turn. If this happens, put small quantities of the cream into a bottle and shake hard. You can also try your blender.

Faites un caramel brun avec 100 g de sucre en poudre et videz-le en grosses gouttes sur les blancs froids.

———

Clafoutis

- assez de fruits pour bien couvrir le fond d'un plat à gratin (cerises, prunes, pêches, abricots, raisins, pommes, poires, pruneaux)
- 5 cuil. à soupe de farine
- 3 cuil. à soupe de sucre cristallisé
- 3 œufs
- 1/2 litre de lait
- 30 g de beurre
- 1 pincée de sel

Allumez le four th. 6 (200° C). Beurrez le plat à gratin. Enlevez les noyaux, pelez et coupez les pommes et les poires en tranches, trempez les pruneaux et coupez-les en 2. Couvrez bien le fond avec les fruits.

Battez ensemble la farine, le sucre, les œufs, le sel, le lait. Versez sur les fruits. Enfournez pour 30 à 40 minutes. Saupoudrez de sucre glace avant de servir. La clafoutis est meilleur tiède

Fruit flan ———

Traditionally, clafoutis is made with ripe cherries.

In Périgord, we make it with any fruit : plums, Agen prunes, apricots, peaches, apples, pears, grapes and even a mix of those.

When the cream is cold, pour it into a pretty serving bowl, place on top the egg whites snow mounds. And chill. Make a brown caramel with 100 g sugar and pour small drops of it on top of the white islands.

Fruit flan

enough fruit to cover the bottom of a baking dish
5 tblsp flour
3 tblsp granulated sugar
3 eggs
1/2 litre milk
30 g butter
1 pinch salt

Preheat oven at gaz mark 6 (200° C).
Butter an oven proof dish. Prepare the fruit.
Remove the stones of cherries, plums, apricots, peaches, soaked Agen prunes and cut in halves. Peel, core and cut in slices apples and pears.
Arrange the fruit on the bottom of the dish.
Blend eggs, sugar, salt and melted butter.
Add flour and milk. Mix well.
Pour the batter on top of the fruit.
Bake 30 to 40 minutes.
Drizzle the top of the clafoutis with icing sugar just before serving.
Clafoutis is best eaten warm.

Tarte aux pruneaux

- 250 g de farine
- 100 g de beurre
- 1 pincée de sel
- 1 cuil. à soupe de sucre
- 1 œuf
- 500 g de pruneaux d'Agen
- 1/2 verre de vin rouge
- 100 g de cassonade
- 1 poignée de raisins secs (Malaga si possible)
- 2 cuil. à soupe de rhum ou d'eau-de-vie

Mettez les pruneaux à tremper dans un peu d'eau chaude pendant quelques heures. Préparez la pâte. Mettez dans une terrine la farine, le sel, la cuillerée de sucre, l'œuf, le beurre. Mélangez le tout, ajoutez un peu d'eau tiède et faites rapidement la pâte. Formez une boule, enveloppez dans du film alimentaire et laissez au frais pendant une heure.

Fendez les pruneaux sur le côté, enlevez les noyaux et mettez les à cuire 10 minutes dans le vin et la cassonade. Quand le jus est bien réduit, retirez du feu. Faites tremper les raisins dans l'alcool.

Allumez le four th. 6 (200° C). Foncez un plat à tarte avec la pâte. Piquez-la et placez dessus la compote de pruneaux, le jus réduit et les raisins. Saupoudrez de sucre et enfournez 30 minutes.

S'il vous reste assez de pâte, vous pouvez garnir avec des bandes arrangées en losanges et dorer au jaune d'œuf.

Agen prune tart

250 g flour
100 g butter
pinch salt
1 tblsp caster sugar
1 egg
500 g prunes
1/2 glass red wine
100 g brown sugar
1 handful raisins
(malaga if possible)
1 tblsp brandy

Soak the prunes in a little warm water until soft. Prepare the pastry. Place flour, sugar, salt, egg and soften butter in a big mixing bowl. Rub everything quickly together. Add a little warm water and blend quickly. Rapidly gather the dough into a ball. Wrap in foil and keep in the fridge for one hour. Split the prunes sideways to remove the stone. Cook them for 10 minutes in the wine and sugar. Remove the prunes, let them cool down.
Soak the raisins in the brandy.
Butter a baking tin or flan ring. Roll the dough and place it in the tin. Prick the bottom of the pastry.
Preheat oven gaz mark 6 (200° F)
Arrange prune compote, reduced cooking juice and raisins in the pastry.
Drizzle with sugar. Cook for 30 minutes.
If you have made enough pastry, you can cover the tart with strips of it in shape of losenges.
Brush with egg yoke and cook.

Gâteau aux noix

- 1 verre de cerneaux de noix
- 250 g de farine
- 250 g de sucre en poudre
- 4 œufs
- 1 verre d'huile
- 1 verre de vin blanc sec
- 1 pincée de sel
- 1 paquet de levure

Passez les noix à la moulinette ou dans le robot. Fouettez les œufs et le sucre jusqu'à ce que le mélange soit blanc et forme le ruban. Ajoutez la levure, la farine, le sel, le vin et les noix. Mélangez bien et ajoutez l'huile en dernier. Allumez le four th. 6 (200° C). Beurrez un moule à manqué. Versez la pâte et enfournez pour 30 minutes.

Œufs au lait

- 1 litre de lait
- 8 œufs
- 12 morceaux de sucre
- 1 gousse de vanille

Préchauffez le four th. 5 (190° C).
Faites bouillir le lait avec la vanille et le sucre. Battez les œufs dans un saladier. Versez lentement le lait chaud sur les œufs en fouettant constamment. Filtrez le mélange dans un plat à gratin. Mettez le plat dans un bain-marie. Enfournez pour 45 minutes. Surveillez à partir de 30 minutes. Le flan doit être tout juste pris.

Walnut cake

1 cup shelled walnuts
250 g flour
250 g caster sugar
4 eggs
1 cup oil
1 cup dry white wine
1 pinch salt
1 packet baking powder

Grind the walnuts in a moulinette. Beat the sugar into the egg yolks until the mixture is thick, light yellow and forms the ribbon. Add yeast, salt, wine, flour and walnuts. Beat well. Add the oil last. Preheat oven gaz mark 6 (200° C). Butter a cake tin with high sides. Pour in the mixture. Bake for 30 minutes.

Flan

1 litre milk
8 eggs
12 sugar lumps
1 vanilla pod

Preheat the oven, gaz mark 5 (190° C). Boil the milk with the sugar and vanilla. Beat the eggs in a big bowl. Pour the hot milk slowly on the eggs, stirring constantly. Sieve the mixture over a greased oven proof dish (glass or earthenware or fire proof porcelain). Put the dish in a bigger baking dish which you fill with hot water. Bake for 45 minutes. Check after 30 minutes. The flan must stay soft.

Pain perdu

- 6 tranches de pain d'1 cm d'épaisseur
- lait (la quantité dépend du pain)
- 2 œufs
- sucre en poudre
- huile de friture ou beurre

Enlevez la croûte du pain. Étalez les tranches dans un grand plat creux. Arrosez de lait froid pour que le pain soit bien imbibé, mais pas trop mou. Battez les œufs dans une assiette creuse. Faites chauffer un peu d'huile ou de beurre dans une grande poêle. Passez les tranches de pain dans les œufs battus. Faites-les frire jusqu'à ce qu'elles soient bien dorées. Égouttez sur du papier absorbant. Saupoudrez de sucre et dégustez tiède.

Vin de noix

- 1 livre de feuilles de noyer cueillies à la Saint-Jean (24 juin)
- 1 litre d'eau-de-vie
- 4 litres de vin blanc demi-sec
- 1 kg de sucre en poudre
- 4 clous de girofle
- 1 bâton de cannelle
- la peau d'1/2 orange

Nettoyez les feuilles. Surtout ne les lavez pas. Placez-les dans une bonbonne avec l'eau-de-vie. Laissez macérer pendant 2 jours.
Ajoutez les autres ingrédients. Laissez reposer au moins 20 jours. Filtrez et mettez en bouteilles. Buvez froid.

French toast

5 slices of bread
cm thick
milk (quantity
depends on bread
quality)
2 eggs
caster sugar
cooking oil or butter

Cut the crust off the bread. Arrange the slices in a big flat dish. Pour in the cold milk so as to soak the bread wet but not dripping.
Beat the eggs in a soup plate. Warm the oil in a frying pan. Deep the wet bread in the eggs. Fry until golden on each side. Drain well on kitchen paper. Drizzle with sugar and eat warm.

It is the favourite goûter for hungry children after school.

Walnut wine

500 g walnut tree
leaves, picked on
John day (June 24)
1 litre brandy (eau-
de-vie)
4 litres white wine
semi dry
1 kg caster sugar
4 cloves
1 piece of
cinnamon
peel of half orange

Clean the leaves. Do not wash. Place them in a big bottle like a demi-john with the brandy. Leave to soak for 2 days. Add the rest of the ingredients. Leave to rest for at least 20 days. Sieve and pour in bottles. Drink chilled.

My grand-mother always served home made vin de noix as apéritif.

Confiture de melon d'Espagne

- 1 melon d'Espagne
- sucre cristallisé (quantité à déterminer après avoir coupé et pelé le melon)
- 2 citrons

Coupez le melon en tranches. Enlevez la peau et les graines. Coupez chaque tranche en petits carrés. Pesez. Mesurez la moitié de ce poids de sucre. Mettez une couche de melon dans une terrine, couvrez avec une couche de sucre et continuez une couche après l'autre jusqu'à épuisement du melon. Laissez macérer 24 heures.

Versez le mélange dans une bassine à confiture. Ajoutez un demi-verre d'eau par livre de mélange. Amenez à ébullition. Ecumez. Laissez frémir 2 à 3 heures jusqu'à ce que les morceaux de melon soient transparents et dorés. Tournez de temps en temps. Environ un quart d'heure avant que la confiture soit prête, coupez les citrons en tranches fines et ajoutez-les dans la bassine. Laissez tiédir et mettez en pots. Couvrez avec de la paraffine.

Green melon jam

green melon
granulated sugar
quantity to be
determined after
peeling and cutting
the melon)
lemons

Slice the melon. Remove the skin and seeds
Cut each slice in thin little squares.
Weigh the fruit. Measure half the amount
of sugar.
Place a layer of fruit in a jar. Then a layer
of sugar and so on until all fruit and sugar
are in the jar.
Leave to soak for a day.
Pour the mixture into a jam pan (copper if possible). Add 1/2 glass of water per pound.
Bring to the boil. Skim. Simmer for 2 to 3
hours until the melon pieces turn transparent
and golden colour. Stir from time to time.
15 minutes before the jam is ready, cut the
lemons in thin slices and add.
Let the jam cool down a bit. Then pour into
jars and seal them as usual. (I use paraffin)

My favourite. It tastes like candied fruit

Gelée de groseilles

- 1 kg de groseilles
- sucre cristallisé (quantité déterminée après avoir traité les groseilles)

Détachez les groseilles de leur grappe. Mettez-les dans la bassine à confiture et chauffez tout doucement en remuant constamment. Les grains vont éclater. Arrêtez dès que tous les grains ont éclaté et avant l'ébullition.

Préparez une toile dans une passoire et pressez le mélange avec un pilon pour extraire le jus.

Pesez ce jus. Pesez la même quantité de sucre. Mettez le sucre dans la bassine à confiture avec un verre d'eau.

Portez à ébullition pendant 2 minutes. Ajoutez le jus des groseilles sans cesser de tourner.

Retirez du feu dès que le mélange commence à bouillir. Si vous le laissez trop longtemps, vous aurez de la pâte de fruit.

Mettez en pots comme d'habitude.

Redcurrant jelly

1 kg redcurrants
granulated sugar
(quantity to be
determined later)

Remove red currants from the stems
Place in the copper jam pan. Heat slowly.
Stir constantly. The berries will burst.
When they have all busted and before boiling
point, remove from heat.
Line a sieve with a piece of canvas. Press
strongly with a pestle until all the juice has
passed through.
Weigh the juice. Weigh as much sugar.
Place the sugar in the jam pan with a glass
of water. Boil for 2 minutes. Add the red
currant juice. Keep stirring. Remove as soon
as the mixture starts to boil. If you leave it too
long, it will turn into paste.
Let the jam cool down a bit. Then pour into
jars and seal them as usual, I use paraffin.

———

Index et
table des matières

English

French

Dans la même collection

Cahier n° 1 : Mes recettes normandes

Cahier n° 2 : Mes recettes provençales

Cahier n° 3 : Mes recettes bretonnes

Cahier n° 4 : Mes recettes auvergnates

Cahier n° 5 : Mes recettes du Languedoc et des Cévennes

Cahier n° 6 : Mes recettes charentaises

Cahier n° 7 : Mes recettes angevines

Cahier n° 8 : Mes recettes savoyardes

Cahier n° 9 : Mes recettes du Dauphiné et de la Drôme

Cahier n° 10 : Nos recettes limousines

Cahier n° 11 : Mes recettes berrichonnes

Cahier n° 12 : Mes recettes picardes

Cahier n° 13 : Mes recettes du Sud-Ouest

Cahier n° 14 : Mes recettes du Quercy et du Rouergue

Cahier n° 15 : Mes recettes alsaciennes

Cahier n° 16 : Mes recettes lorraines

Cahier n° 17 : Mes recettes corses

Cahier n° 18 : Mes recettes vendéennes

Cahier n° 19 : Mes recettes comtoises

Cahier n° 20 : Mes recettes du Lyonnais et du Beaujolais

Cahier n° 21 : Nos recettes de la Touraine et de l'Orléanais

Cahier n° 22 : Mes recettes bourguignonnes

Cahier n° 23 : Mes recettes du Nord et du Pas-de-Calais

Cahier n° 24 : Mes recettes champenoises

Cahier n° 25 : Mes recettes de la Sarthe et de la Mayenne

Cahier n° 26 : Mes recettes pyrénéennes

Cahier n° 27 : Mes recettes poitevines

Cahier n° 28 : Mes recettes du Pays basque (à paraître)

Cahier n° 29 : Mes recettes des vallées du Tarn et de la Garonne (à paraître)

Cahier n° 30 : Mes recettes ardennaises (à paraître)

Table des matières

Achevé d'imprimer par Corlet, Imprimeur, S.A. - 14110 Condé-sur-Noireau
N° d'Imprimeur : 99647 - Dépôt légal : avril 2007 - Imprimé en France